*État présent
des Études
Shakespeariennes*

GEORGES CONNES

Professeur à la Faculté des Lettres de Dijon

État présent des Études Shakespeariennes

DEUX CONFÉRENCES

faites à l'Institut des Hautes Études de Belgique
à Bruxelles, 4 et 5 janvier 1932

PARIS	BRUXELLES
Henri DIDIER, Éditeur	Marcel DIDIER, Éditeur
4 et 6, rue de la Sorbonne	14, rue des Comédiens

1932

1

A peine, en réponse à la très honorable
invitation de l'Institut des Hautes Etudes de
Belgique, m'étais-je engagé à traiter devant
lui « de l'état présent des études shakespeariennes », que je comprenais mon impru-
dence, et me mettais à m'en repentir; un
certain empressement qu'on avait montré, me
sembla-t-il, à accepter mon sujet, me donnait
déjà à réfléchir. Mes raisons de douter ici de
moi-même sont bonnes. Il y a dans le monde
une demi-douzaine d'hommes dont les seuls
objets d'étude, et, pourrait-on dire, les seules
raisons de vivre, sont Shakespeare et l'œuvre
shakespearienne; pour être généreux, peut-
être sont-ils une douzaine, ou une et demie, ou
deux douzaines; mais j'incline vers le premier
chiffre; je parle de ceux qui ont patiemment
digéré, au cours de vies généralement longues,

tous les éléments du problème dans les documents originaux, sources, manuscrits, éditions diverses, archives, histoire et histoire
littéraire de l'époque, bref, tout l'univers dans
lequel Shakespeare passa, et dont on ne saurait fixer les limites; ceux-là seuls ont en réalité le droit de parler en cette affaire, c'est un
d'eux qu'il faudrait, et je n'en suis point; en
dehors de ce groupe de spécialistes, tous ceux
qui parlent de Shakespeare parlent de
deuxième, de troisième, de n^e main. J'ai le
regret de dire qu'aucun de ces initiés du premier ordre n'est de langue française; je le
savais déjà, mais je me suis de nouveau aperçu
récemment avec quelque regret que nous
n'avons pas produit un seul « shakespearien » véritable, si l'on entend par là une vie
érudite consacrée à la recherche shakespearienne; il n'y a pas un de nos noms parmi les
grands noms du commentaire shakespearien; je ne crois pas qu'on puisse citer un seul
livre français qui ait fait faire des progrès à
ces études; pas un seul des travaux de la jeune

école angliciste française, née il y a quarante-
cinq ans environ, et dont l'apport est déjà
important par la quantité comme par la qualité, ne s'est proposé un sujet shakespearien.
Shakespeare nous intimide-t-il? jugeons-nous
inutile ou impossible de rien ajouter à ce
qu'on sait de lui? nous paraît-il plus décent
de le laisser à ceux dont la langue est la
sienne? La science allemande, pourtant, avec
la science anglaise et la science américaine,
n'a pas eu cette timidité, ou ces scrupules, ou
cette indifférence; elle compte en matière
shakespearienne, où nous ne comptons point.
Quelles que soient les raisons de notre absten-
tion, à cet immense effort pour éclaircir la
vie et la genèse de l'œuvre du Stratfordien, qui
occupe un monde d'érudits depuis trois
siècles, nous ne contribuons que par des
bribes d'articles et de notes; quelques gouttes
d'eau dans cet océan. A proprement parler, il
est curieux que les seuls hommes de langue
française qui aient jamais essayé d'étreindre
le problème de la genèse de l'œuvre soient les

hérétiques Demblon et M. Abel Lefranc, qui
ne répondent pas à la définition du shakespearien professionnel. Si, élargissant le cercle,
nous disons, au lieu de « Shakespeare »,
« époque élisabéthaine ». nous ne rencontrons
que M. Feuillerat pour avoir mis la main aux
pièces originelles, et jeté une lumière indi-
recte sur Shakespeare par ses études, publications et découvertes relatives à l'Office des
Menus Plaisirs; peut-être pourrait-on dire un
peu la même chose des travaux de M. Cas-
telain sur Ben Jonson; deux jeunes spécialistes
qui promettaient, MM. Schoell et Cheffaud,
prennent d'autres directions. En trois siècles
c'est peu; j'appelle de tous mes vœux la fin
de cet état de choses, et la création d'une revue
shakespearienne française, pour laquelle il
y aurait déjà quelques collaborateurs; au bout
de quelque temps, l'organe créerait la fonc-
tion.

On m'opposerait sans doute ici d'autres
noms d'hommes et d'autres titres de livres,
si on n'entendait déjà que, d'accord avec le

courant général de l'heure où je parle, j'entends par « études shakespeariennes » surtout et même uniquement les tentatives pour éclairer la biographie, et la constitution de l'œuvre. Parmi les 18 chapitres de la *Bibliographie* récente d'Ebisch et Schücking, il me semble que notre époque met fortement l'accent sur le deuxième, le cinquième et le neuvième; tout le reste est accessoire; les travaux sur les répercussions et la renommée sont dans un autre monde, et ne contribuent en rien à la solution du problème principal; la mer des éditions et des traductions, sauf dans un cas, ne présente pas non plus d'intérêt de premier ordre; les interprétations, les jugements esthétiques, les spéculations sur les mérites et les démérites, sont en somme de la même nature scolaire que les dissertations que nous proposons à nos étudiants, même quand une signature illustre les suit; tout cela est affaire aux commentateurs, tandis que les problèmes premiers appartiennent aux érudits. De même, toutes les théories sur la ma-

nière dont Shakespeare a « traité » tel sujet
ou telle scène, « conçu » tel personnage,
même les plus neuves et les plus intéressantes,
celles d'un Stoll, celles d'un Schücking, n'ont
qu'une valeur provisoire, ou même aucune
espèce de valeur, tant qu'on n'est pas arrivé
à démêler avec une probabilité moyennement
satisfaisante l'authentique de l'inauthentique;
toute conclusion dans cet ordre d'idées risque
sans cesse de s'écrouler, du fait de l'effrite-
ment, sous elle, des textes sur lesquels elle
repose; c'est le cas, par exemple, du dernier
travail important qui me soit connu, l'*Introduction à une Etude de la Comédie shakespearienne* que M. Alfred Young Fisher vient
de présenter à la Faculté des Lettres de Dijon,
dans l'esprit de A. C. Bradley pour la tragédie. Les études shakespeariennes sous toutes
leurs formes ne se ralentissent jamais; mais
chaque génération se pose cependant de façon
plus aiguë une question essentielle, qui do-
mine tout; il y a dix ou quinze ans, en jetant
un regard en arrière et autour de soi, on pou-

vait voir se continuer sans ralentir jamais la
lutte éternelle entre ceux qui veulent que
l'œuvre du maître soit le reflet de sa vie, ou
ait au moins été influencée par elle, et ceux
qui croient à son impersonnalité entière; en
même temps, une méthode surtout historique
cherchait à déterminer le point jusqu'auquel
Shakespeare, loin de s'imposer brutalement
et absolument à son époque, peut refléter les
conventions du théâtre élisabéthain, et le goût
de son public; dans la bataille jamais finie
entre ceux qui voient dans l'œuvre shakespearienne surtout de la littérature et ceux qui y
voient d'abord du théâtre, le théâtre l'empor-
tait, et continue du reste à l'emporter. Mais
aucun de ces problèmes jamais résolus n'est
plus au premier rang de nos préoccupations;
c'est celui de l'établissement du canon qui est
le nôtre; une fois qu'on y verra plus clair dans
cette question essentielle, si on y arrive jamais, les discussions esthétiques pourront
reprendre leur valeur; mais pour l'instant,
que dire de durablement valable de l'esprit et

de l'art (selon la formule de Dowden) d'un
écrivain dont on ne sait pas bien ce qui est
et ce qui n'est pas de lui dans le texte qu'on
lui attribue? Que toutes les autres considéra-
tions soient secondaires et provisoires, c'est ce
que sentent bien ceux-là même qui s'y livrent,
ceux-là même aussi qui restent les plus
proches de l'ancienne attitude de foi générale
à la masse de l'in-folio de 1623, à l'exclusion
de pièces ou de passages ordinairement jugés
non-shakespeariens, d'après l'idée, du reste
déjà arbitraire, qu'on se faisait du shakespearien et du non-shakespearien; ceux qui
vont le moins loin sur la voie de l'épuration.
Voyez le titre, et dépouillez le contenu, du
livre de Sir Edmund Chambers, publié en
1930, qui est évidemment l'œuvre la plus importante de toute une génération, le résumé de
ses travaux, une véritable « somme » shakespearienne de notre heure; personne, pas
même ceux qui le combattent, ne refuserait
une place dans la demi-douzaine dont je par-
lais tout à l'heure, à Sir Edmund — que j'ap-

pellerai maintenant impoliment Chambers,
pour la brièveté; beaucoup lui attribuent la
première. « *William Shakespeare. A study of
facts and problems* »; des faits et des problèmes, voilà la somme shakespearienne de
1930, et de 1932. Que fut cet homme? qu'a-t-il
réellement écrit? quel rôle exact a-t-il joué
dans la constitution du texte mis sous son nom
en 1623? Le reste — quelle fut sa conception
de la vie, du théâtre, de la tragédie, de la
comédie, de la poésie, est-ce beau, est-ce médiocre? — n'est actuellement que paroles
assez vaines. Nous sommes, qu'on le veuille
ou non, dans l'âge de la suspension de l'esthé-
tique; je sais que je choquerai beaucoup d'ho-
norables et distingués shakespeariens par cette
déclaration, mais je ne puis dissimuler ce qui
m'apparaît comme le trait marquant de la
situation; les spécialistes sourient un peu des
écrivains pour qui la matière shakespearienne n'est toujours que sujet à rapsodies, et
quelquefois à dénigrement, et même de ceux
qui expliquent savamment le fonctionnement

de l'esprit de Shakespeare; il est difficile de se refuser à reconnaître que l'empreinte la plus forte qui marque aujourd'hui les études shakespeariennes vient de ceux qui poussent au premier plan le problème du canon, les éditeurs du *Nouveau Shakespeare de Cambridge*, et M. J. M. Roberston; ils ont répandu l'inquiétude, et le titre d'un des récents articles de Chambers le reconnaît [1] avant que la première ligne en soit écrite; ils contraignent les défenseurs de la tradition à la défensive; il faudra régler l'affaire avec eux avant de repartir de l'avant, si jamais on repart; ils donnent le ton, les autres dansent.

Shakespearien de troisième ou de quatrième zone, ou d'une zone plus lointaine encore, qui n'a jamais manipulé les documents originaux, qui ne lit que difficilement l'écriture élisabéthaine, qui ne revient à Shakespeare que périodiquement, parmi bien d'autres devoirs professionnels, je ne suis pas

---

1. *The Unrest in Shakespeare Studies;* 19th Century Review, février 1927.

sans doute celui qui peut très bien dire où on
en est; mais je suis par contre un de ceux, très
nombreux, qui auraient bien envie de le
savoir. Au début de 1932, que faut-il, que
peut-on croire? Sur quoi tout le monde s'est-il
mis d'accord? Sur assez peu de chose, je dois,
hélas! en avertir; il ne faut pas attendre de
réponse bien ferme sur beaucoup de points.
Mon excuse, si j'essaie témérairement de déga-
ger un peu cette réponse, est que je ne la
trouve toute faite nulle part. Le titre du dernier livre de M. Robertson, *The state of
Shakespeare Study*, publié l'an passé, est
trompeur; ce n'est pas, et ne peut pas être, vu
le tempérament de l'auteur, le résumé objec-
tif que l'on attendrait à pareille enseigne,
mais la réunion d'articles de polémique contre
des adversaires. L'effort de Chambers, dans
les mille pages, bourrées de notes et de
chiffres, de ses *Faits et Problèmes*, vise bien
à une présentation de tous les documents, de
toutes les questions litigieuses, et je me risque-
rai à me compromettre jusqu'à dire que

Chambers est assez probablement le guide
actuellement le plus sûr; mais Chambers est
lui aussi un partisan, et un très grand
nombre de ses vues, sinon toutes, sont âpre-
ment discutées par tels ou tels adversaires. La
tentative qui répond le mieux à mon dessein
actuel est probablement le *Sketch of Recent
Shakespearian Investigation* de M. C. H. Herford, portant sur la période 1893-1923, mais
qui remonte à plus de huit ans déjà; si je
m'adressais exclusivement à un public de spécialistes, ma tâche serait relativement simple;
je supposerais connues les 58 pages d'Herford,
et j'analyserais seulement les grandes lignes de
la recherche depuis 1923; je devrai ici remon-
ter souvent plus loin en arrière, et utiliser
fréquemment Herford. Les six mois de lectures
que je viens de faire pour m'éclairer supplé-
mentairement ne m'auraient pas suffi, bien
sûr, à prendre le contact direct avec les centaines, les milliers de livres et d'articles parus
dans ces neuf ans, et à plus forte raison précé-
demment; car c'est bien par centaines que le

Catalogue annuel des livres anglais rassemble
les publications sous la rubrique Shakespeare.
Sans manquer d'aller souvent aux originaux,
j'ai donc usé d'intermédiaires commodes :
l'article *Shakespeare* dans *The Year's Work in
English Studies*, signé annuellement des noms
de Sidney Lee, A. W. Reed, E. K. Chambers;
la *Bibliographie* annuelle de la Modern Huma-
nities Research Association; la suite des confé-
rences faites une fois par an sur un sujet
shakespearien devant l'Académie Britannique,
qui sont toujours un des principaux événements de l'année; des neuf dernières, six
marquent nettement la préoccupation du problème de l'authenticité; ce sont celles de
M. Pollard sur *Les fondations du texte* de
Shakespeare en 23, de Chambers sur *La désintégration* en 24, de M. Greg sur *Les principes
de la correction du texte* en 28, de M. Dover
Wilson sur *Shakespeare l'élisabéthain* en 29,
de M. Abercrombie sur *La liberté de l'interprétation* en 30, de Miss Spurgeon enfin sur
La persistance des images chez Shakespeare

2

en 31; aussi M. Robertson a-t-il beau jeu à assurer, dans sa dernière préface, que l'Académie
appelle désespérément au secours contre lui
tous les défenseurs de la tradition; quand se
décidera-t-on à l'appeler à son tour? ses droits
à cet honneur, et à une place dans la première
classe, ne sont guère contestables. Enfin, et
bien entendu, la somme de Chambers est le
moyen le plus commode de se faire une idée
complète et juste de l'état des innombrables
questions en litige.

Ainsi équipé, il ne m'a pas fallu que le
courage devant le labeur de m'instruire; il me
faut encore le courage devant le risque de
m'exprimer; car voici que, sur ces sujets,
jadis de tout repos, il devient difficile de dire
quoi que ce soit sans s'exposer à être quelque
peu maltraité par les uns ou par les autres;
il règne actuellement dans les études shakespeariennes, à l'intérieur même de l'orthodoxie
stratfordienne, un ton dont l'âpreté commence à ressembler à celle des controverses
entre croyants et infidèles; on se porte de

grands coups, avec pour massues les épi-
thètes de foliolâtre et de désintégrateur; des
hommes qui assignent des limites différentes
au canon, qui n'ont pas la même façon de
scander le vers de Shakespeare, qui n'enten-
dent pas de la même oreille son rythme, ce
fameux rythme que chacun prétend reconnaître avec assurance, ne dissimulent plus
guère la piètre opinion qu'ils ont de l'intelligence les uns des autres; je ne sais pas bien
qui a commencé, mais je dois dire que M. Robertson est probablement plus coupable; en
tout cas, c'est assez imprudent aux orthodoxes, qui amènent certainement ainsi de
l'eau au moulin des antistratfordiens. Ici
pourtant comme dans une autre aventure, ce
sont mon insignifiance et mon désir de neu-
tralité qui me donnent ma bravoure; je ne
suis compromis avec personne, je n'éprouve
pour quiconque une estime diminuée à cause
de la façon dont il scande ou ne scande pas le
vers shakespearien; je n'ai pas été trop vili-
pendé, il y a quelques années, pour avoir tenté

de rapprocher entre les couvertures d'un
même volume toutes les thèses, l'orthodoxe
et les hérétiques; *The Year's Work in English
Studies*, sous la signature de Chambers, voulut bien me trouver « détaché et raisonnable ». Fort de mon détachement et de mon
effort pour être raisonnable, je me risque
donc, et d'abord à essayer de dire où en sont
les recherches sur la vie de Shakespeare.

Le danger que je cours est ici beaucoup
moins grand que lorsqu'il s'agira de l'œuvre;
par comparaison, les controverses sont ici à
peine passionnées; là où il n'y a rien, ou peu
de chose, comment s'échauffer très fort? elles
ne peuvent porter que sur les détails, souvent
très petits; elles ne provoquent point dans la
troupe des savants de divisions profondes et
violentes, analogues à celles qui se produisent
à propos de l'œuvre; ils n'ont pas à se ranger
et ne se rangent point selon des vues d'ensemble qui impliquent des conceptions totale-
ment opposées; rien ne ressemble ici au fossé
— moins profond qu'on ne pourrait croire, je

le montrerai par la suite — qui sépare Chambers de Robertson. Au fond, on peut dire qu'il
y a ici unité relative assez réelle dans la conduite, le progrès et l'interprétation des recherches, unité qui provient de leur lenteur et de
leur peu de succès même. Car elles sont lentes
et très médiocrement fructueuses; à franchement parler, on ne trouve rien de sûr, ni d'importance ni de peu d'importance, qui porte
directement sur la vie du stratfordien; quand
on compulse les travaux les plus récents, on
s'aperçoit que les dernières découvertes sur
ce terrain sont celles de l'Américain C. W.
Wallace, du Nebraska, de pièces relatives à
une propriété commune à Shakespeare et à
plusieurs de ses camarades de théâtre, en 1905,
et de celles relatives à sa déposition au procès
Montjoie contre Belot, en 1910; celle-ci est
suivie d'une nouvelle signature de Shakespeare, la sixième connue, qui demeure encore
son dernier autographe certain. Il y a donc
plus de vingt ans que les recherches sur la
vie de Shakespeare n'ont pas fait en avant un

pas sérieux et indiscutable. Il est sans doute
permis d'espérer qu'on trouvera encore; l'élucidation récente des circonstances de la mort
de Marlowe, après plus de trois cents ans, est
un fait encourageant; mais cette espérance ne
saurait être très ferme; « c'est seulement du
hasard, ou d'une recherche très systématique
dans des archives négligées », dit Chambers [1],
« qu'on peut encore attendre des additions sé-
rieuses à nos connaissances sur les faits maté-
riels de la vie de Shakespeare ». Naturellement, les hypothèses ne chôment jamais; mais
ce ne sont que des hypothèses. A mesure que
les écrits s'accumulent, le contraste paraît de
plus en plus violent entre l'immensité et la
minutie des recherches faites sur tous les alen-
tours de la vie du Stratfordien, et l'obscurité
dans laquelle cette vie même continue à se dissimuler, comme par besoin de mystère,
comme par fatalité. Il ne suffisait plus que
tous les tenants et aboutissants de sa famille
aient été aussi minutieusement étudiés que le

1. *The Year's Work in English Studies*, 1925.

permet la pénurie de documents; il n'est pas
si mince personnage de son entourage possible qui ne soit pour quelque chercheur le
point de départ d'une piste qu'on suit jusqu'à
ce qu'elle se perde; les ouvrages de Charlotte
Stopes sur le milieu de Shakespeare à Stratford, écrits depuis le début du siècle, ne suf-
fisent plus, ni les publications fragmentaires
d'archives dont on s'était contenté jusqu'ici;
celles de Stratford sont actuellement, sous la
direction de M. Fripp [1], l'objet d'une publication progressive, commencée en 1921, et qui
sera intégrale pour la période de 1553 à 1620.
On s'efforce d'établir minutieusement les faits
et gestes et les généalogies de tous les citoyens
notables de Stratford, les Combe en première
ligne, puis les Lucy, les Field, les Drayton;
le même travail se poursuit pour les familles
nobles des environs; M. Fripp écrit une mono-
graphie savante sur Richard Quiney, qui a
écrit une lettre à Shakespeare, lequel a eu des
rapports d'argent avec lui et sa famille. On

1. Il vient de mourir le 9 novembre 1931.

pourchasse toutes les familles et tous les indi-
vidus du nom de Shakespeare à des siècles en
arrière, à cent milles à la ronde, et jusqu'en
Irlande; Chambers en présente quelques douzaines dans un de ses appendices; il étudie
et classifie également les quatre-vingt-trois or-
thographes connues du nom, plus quelques
variantes et excentricités d'écriture. Indépendamment des circonstances personnelles, un
autre alentour de Shakespeare a été prodigieu-
sement fouillé et éclairci depuis le début du
siècle, l'histoire du théâtre : point de scène,
publique, privée ou royale, dont la vie ne soit
observée au jour le jour s'il se peut; point de
troupe d'acteurs, et d'abord celle de Shakespeare, les hommes du Lord Grand Chambellan, qui ne soit suivie dans ses plus petits
déplacements, et tous les recoins accessibles
de la vie de ses membres les plus modestes;
leur organisation, les catégories de leur personnel, l'influence possible de ces éléments
sur la composition des pièces, leurs usages,
les relations qui les unissent aux auteurs, aux

protecteurs, à la Cour, aux éditeurs et imprimeurs, au public, sont l'objet d'innombrables
travaux spéciaux; mais ici encore Chambers
nous a donné la somme, dans les quatre volumes de son *Elisabethan Stage* en 1923. Cependant, il n'y a toujours pas d'histoire générale de l'Angleterre entre celle de Froude qui
finit en 1588, et celle de Gardiner qui commence en 1603; les deux gros volumes du
Shakespeare's England publiés en 1916 à l'occasion du troisième centenaire, qui rassem-
blent les études des meilleurs spécialistes sur
tous les aspects de la civilisation élisabéthaine,
ne comblent que partiellement cette lacune.

Toute histoire repose sur des documents;
leur classification et leur publication sont la
première tâche de l'historien; à ma connaissance, elle n'avait jamais été entreprise et ac-
complie avec autant de bonheur que par
Chambers dans son second volume; il y a là,
mis à la disposition de tous, tous les éléments
du problème, venus de centaines et de centaines de sources, et pourtant commodément

rassemblés en quelques centaines de pages.
Chambers les classe très justement en trois
catégories : les documents proprement dits, les
allusions contemporaines, et les rapports non
contemporains, dont l'ensemble constitue ce
qu'il appelle le mythe shakespearien, ou
comme nous dirions plutôt, la légende shakespearienne; le tout accompagné des complé-
ments d'information et commentaires néces-
saires.

La notion de document proprement dit, en
tant que distincte de celle d'allusion contem-
poraine, est parfaitement claire, et il ne peut y
avoir doute sur ce qui doit entrer dans chacune
des deux classes; le document est un écrit,
dans le cas présent plus généralement public
que privé, directement relatif aux faits et gestes
de l'homme, indépendamment de sa réputation littéraire. Ces documents ou séries de documents, dont la nature empêche qu'ils soient
classables par ordre chronologique rigoureux,
sont au nombre de 24; et je suis bien obligé
de demander la permission de les énumérer.

1. Les enregistrements de baptêmes, mariages et inhumations relatifs au poète et à sa famille (les naissances n'étaient pas enregistrées); on trouve 53 de ces mentions dans la paroisse de Stratford; il y en a d'autre part 2 dans celle de Budbrooke, 5 à Snitterfield, 3 à Hampton Lucy, 7 à Clifford Chambers, enfin 2 à Londres; il est douteux dans certains cas qu'elles se rapportent à la parenté de Shakespeare.

2. Les trois pièces émanant du Collège des Hérauts, ce que nous appellerions la Grande Chancellerie, relatives à l'octroi d'armoiries au père de Shakespeare, pièces de 1596, 1599 et 1602.

3. La mention, dans l'Inventaire des biens de Robert Johnson, le 5 octobre 1611, de son bail d'une grange appartenant à Shakespeare dans Henley Street.

4. La pièce en latin relative à un procès engagé en 1588 et 1589 par les parents de Shakespeare contre un nommé John Lambert, pour recouvrer un bien de la femme, sur le-

quel l'autre avait pris une hypothèque qui
tendait peu à peu à se transformer en possession; Shakespeare, probablement par droit
d'héritage, y était partie avec ses parents :
Simulcum Willielmo Shackspere filio suo.

5. Les deux pièces relatives au mariage de
Shakespeare, à savoir la licence, dans le Registre de l'Evêque de Worcester le 27 novembre 1582 pour le mariage de William Shakespeare et d'Anne Whateley, de Temple Grafton,
et la déclaration sous caution, le 28 novembre
1582, de Fulke Sandells et John Richardson,
qu'aucune raison de consanguinité ou autre
ne s'oppose au mariage de William Shakespeare et d'Anne Hathaway de Stratford; pièces
auxquelles on peut joindre le don fait aux
pauvres dans son testament du 25 mars 1601
par Thomas Whittington, cultivateur de Shot-
tery, de 40 shillings à lui dus par Ann Shakespeare, et à recouvrer sur son mari.

6. Cinq pièces de dossiers de procès divers,
datées des 8 et 12 février 1610, 9 octobre 1615,
28 avril 1619 et 1er août 1635, où il est ques-

tion d'intérêts possédés par Shakespeare, con-
jointement avec divers autres acteurs, ses camarades, dans les théâtres du Globe et de
Blackfriars.

7. Les six documents où le nom de Shakespeare apparaît parmi les noms d'autres acteurs de sa troupe : savoir, deux fois, en 1598
et 1603, comme ayant joué un rôle dans une
pièce de Ben Jonson, une fois, dans le grand
in-folio, comme ayant joué dans ses propres
pièces, une fois dans la licence de la troupe
du 19 mai 1603, une fois comme figurant dans
une procession royale vers le 15 mars 1604,
une fois dans le testament de son camarade
Augustin Phillips le 4 mai 1605. Chambers
relève douze autres mentions ou énumérations du même genre de membres de la troupe
du Lord Chambellan, dans lesquelles le nom
de Shakespeare ne figure pas.

8. Cinq mentions du nom de Shakespeare,
le 15 novembre 1597, le 1er octobre 1598, dans
un rôle de 1598-1599, le 6 octobre 1599 et le
6 octobre 1600, comme contribuable, et contri-

buable généralement défaillant, dans la paroisse de Sainte-Hélène. Malone, en 1796, dit avoir entre les mains deux documents prouvant que Shakespeare aurait résidé à Southwark en 1596, puis « jusqu'en 1608 ».

9. Les documents déjà cités, et très étudiés depuis vingt ans, relatifs au procès intenté en 1612 par Etienne Belot à son beau-père Christophe Montjoie; je refrancise les noms; c'étaient l'un et l'autre des huguenots français exerçant la profession de perruquier, établis à Londres; le gendre réclamait au beau-père la dot promise, et la rédaction également promise d'un testament en sa faveur; il y a des dépositions signées de divers témoins, dont Shakespeare; appelé le 11 mai, il ne put rien dire de très précis, les faits remontant à huit ans; il connaissait la famille depuis une dizaine d'années, avait logé dans sa maison en 1604, avait été au courant du projet et des négociations du mariage, ayant même aidé à décider le jeune homme; les pièces le désignent comme un gentleman de Stratford, ce

qui semblerait indiquer qu'il n'avait pas alors
de résidence à Londres.

10. La pièce du 4 mai 1597 relative à l'acquisition de la maison dite New-Place; trois
mentions diverses dans d'autres documents
ajoutent des détails, une vente de pierre par
un M. Shakespeare qui pourrait être aussi le
père du poète, le fait que deux vergers avaient
été ajoutés en 1603, la résidence d'un cousin
dans la maison en 1609; dans une pièce relative à une propriété voisine, Shakespeare est
correctement cité comme tenant à l'Ouest.

11. La mention de Shakespeare, dans un état
du 4 février 1598, comme détenteur de dix
mesures de malt.

12. Cinq lettres ou fragments de lettres des
24 janvier, 25 octobre, 30 octobre, 4 novembre
et 24 novembre 1598, relatives à un emprunt
de 30 livres, que Richard Quiney eut au moins
l'intention de solliciter de Shakespeare, son
compatriote établi à Londres, pour y payer
ses dettes; la plus importante est celle du
25 octobre, écrite par Quiney à Shakespeare

pour lui présenter sa demande; mais trouvée avec les autres, toutes reçues par Quiney, il est assez probable qu'elle ne fut jamais remise au destinataire.

13. La pièce relative à la vente de terre à Shakespeare par William et John Combe, datée du 1er mai 1602, confirmée par une autre de 1610.

14. Mention le 28 septembre 1602 de l'achat par Shakespeare d'un cottage avec jardin dans Chapel Lane, dans la dépendance du manoir de Rowington; confirmation de son occupation par deux pièces du 24 octobre 1604 et du 1er août 1606; et de l'occupation par sa fille Suzanne et son mari par une pièce du 18 avril 1617.

15. Les traces laissées dans les archives de la cour de justice de Stratford par les procès qu'engagea Shakespeare, en 1604, contre Philippe Rogers, qui lui devait 35 shillings 10 pence, en 1608 et 1609 contre John Addenbrooke et son garant Thomas Horneby, pour une somme indiquée en un endroit comme

6 shillings 8 pence, en deux autres comme
24 shillings.

16. Le document du 24 juillet 1605 relatif
à l'achat par Shakespeare des dîmes de trois
hameaux de Stratford, pour une somme de 440
livres, des mains de Ralph Huband; et un
autre, vraisemblablement de 1611, relatif à
certaines difficultés consécutives à cet achat.

17. La mention de Shakespeare dans le testament de John Combe, comme bénéficiaire
d'un legs de 5 livres, le 28 janvier 1613.

18. Les documents relatifs au projet de
clôture de terrains soutenu en 1614 et années
suivantes par Arthur Mainwaring, William
Replingham et William Combe, et qui, mena-
çant la pratique de la vaine pâture, agita fort
le pays : essentiellement, Shakespeare apparaît dans un contrat du 28 octobre 1614 avec
Replingham, qui le garantit contre une dimi-
nution éventuelle de ses dîmes du fait des
clôtures; il apparaît aussi à diverses dates
entre juillet 1614 et août 1615 dans un journal de Thomas Greene, son cousin, secrétaire

de la municipalité, d'où il semble ressortir
que celle-ci désirait s'assurer l'appui de
Shakespeare; mais il est difficile de dire si
celui-ci, garanti par son contrat, prit position.

19. Mention du nom de Shakespeare, ajouté
en marge dans une liste de contribuables
relative à une taxe pour la réparation des
routes, le 11 septembre 1611.

20. Mention en 1614, dans les comptes de
Stratford, d'un paiement pour un don de vin
fait à un prédicateur logé à New-Place, dans
la maison de Shakespeare.

21. Mention dans les comptes de la famille
Rutland, le 31 mars 1613, du paiement de
44 shillings à Shakespeare pour composition
de l'*impresa* du duc; c'était le motif emblé-
matique, avec devises, qu'on portait sur l'écu
dans les tournois; et même somme à Richard
Burbadge pour exécution et peinture.

22. Les pièces relatives à l'acquisition par
Shakespeare et trois de ses compagnons (Shakespeare étant vraisemblablement l'acheteur

principal et les autres des prête-noms) de la
maison de Blackfriars dite de la Porte Cochère
(Gate-House), parce que le bâtiment principal
enjambait en effet une telle porte : ce sont un
acte d'achat du 10 mars 1613 pour une somme
de 140 livres, un acte d'hypothèque, vraisemblablement fictif, au vendeur Henry Walker,
à qui restait due une somme de 60 livres, dès
le lendemain 11 mars; et deux ans plus tard,
en 1615, trois pièces relatives à un procès probablement simulé, intenté par Shakespeare
comme propriétaire de cette maison avec
d'autres personnes de Londres, pour se faire
remettre par le nommé Mathieu Bacon certains actes de propriété dont il était détenteur;
Bacon était d'accord, et ne voulait qu'avoir
par le jugement une sorte de certificat de remise officielle.

23. Le testament de Shakespeare, du
16 mars 1616, enregistré le 22 juin, document
depuis longtemps épluché jusque dans sa
moindre virgule, mais sur lequel on ne cesse
pas d'argumenter, et de faire des suggestions

nouvelles; M. S. A. Tannenbaum en a publié
la plus récente étude en 1926.

24. Les deux épitaphes dans l'église de
Stratford, l'une sur la pierre tombale et l'autre sous le buste.

Chambers, de façon assez peu logique,
accorde un 25e numéro dans sa nomenclature
à la pièce relative à un procès de William
Shakespeare à John Clayton pour une dette
de 7 livres, mais seulement pour nous dire
que, d'assez commun accord aujourd'hui, il
s'agit d'un autre Shakespeare; et il ne donne
pas le texte.

A parler de façon absolument stricte, ces
24 documents ou séries de documents sont,
avec les livres où son nom apparaît comme
auteur, tout ce que nous avons ou savons de
certain sur la vie de Shakespeare, et une biographie sérieuse ne pourrait guère être que
leur exploitation et leur interprétation. C'est
très peu, à notre gré, sur l'auteur de l'œuvre
shakespearienne, et pourtant c'est relativement beaucoup si on ne considère que

l'homme. A importance sociale relativement
égale, combien de ses contemporains ont
laissé plus de traces après trois siècles? Combien d'entre nous en laisseront seulement
autant?

Si la définition du « document » est assez
facile — comme toute trace laissée par l'écrivain en dehors de sa réputation littéraire,
quoique non pas, peut-être, de son œuvre —
celle d' « allusion », et d' « allusion contem-
poraine », l'est beaucoup moins. Où finit le
contemporain? La dernière pièce classée par
Chambers est de 1640, soit 24 ans après la
mort de Shakespeare; et il ne semble pas
définir le contemporain par les relations personnelles entre les auteurs des allusions et le
poète, car beaucoup ne l'ont pas connu per-
sonnellement; ou même par la possibilité de
ces relations, beaucoup de ces auteurs étant
anonymes, d'où impossibilité de savoir ou
même de spéculer. Chose beaucoup plus déli-
cate encore, qu'est-ce qu'une allusion? Chambers, qu'avaient précédé dans cette voie dix

ou douze livres qui mettent leurs matériaux à sa disposition, reconnaît que « ces collections contiennent de nombreuses références à des pièces et à des poèmes particuliers, et beaucoup de simples échos, qu'on pourrait multiplier à l'infini ». Aussi lui-même s'est-il « limité aux passages qui font quelque allusion personnelle à Shakespeare », à l'exclusion de quelques-uns de ceux, mais pas de tous ceux, dans lesquels il n'est pas d'accord pour soupçonner une allusion voilée. D'après ces principes, il donne, en se contentant d'éclairer leur provenance, et sans les discuter à fond comme les documents, 58 passages ou séries de passages, échelonnés depuis *Les larmes des muses* de Spenser en 1591, jusqu'à la préface à l'édition des poèmes par John Benson en 1640 : mais quand on les examine, on s'aperçoit qu'ils rentrent mal dans le cadre indiqué par le principe de sélection de Chambers lui-même. Il y a là sans doute tous les passages célèbres qui semblent être ou sont en effet des allusions personnelles, Greene, et

Chettle, et Willobie, et le *Retour du Parnasse*,
et les différentes scènes, pièces de vers, notes
ou conversations de Ben Jonson, et le com-
mérage de Manningham, et le *Fantôme de
Ratsey*, et quelques autres plus douteux; mais,
tout bien compté, cela ne fait qu'une dizaine,
à moins qu'on ne fasse entrer dans cette catégorie certaines des pièces liminaires du grand
in-folio, qui figurent naturellement toutes ici;
tout le reste n'est justement qu'allusions à
des pièces ou à des poèmes particuliers, lita-
nies d'admirateurs, énumérations de chroni-
queurs qui se félicitent de la richesse littéraire
de leur époque, en énumèrent les célébrités,
et assignent parmi elles un rang à Shakespeare; et certains passages demeurent mysté-
rieux malgré tout ce qu'on a écrit à leur sujet,
tels les premiers mêmes qui sont cités, le *plea-
sant Willie* et l'*Aétion* de Spenser. Il y a là
matière éternelle à interprétation, à discussion, à dispute.

A plus forte raison en est-il ainsi des éléments de la légende shakespearienne, que

Chambers rassemble au nombre de 58 également : le premier est de 1625 — après la mort du poète bien entendu — et le dernier de 1862. Ici, on est dans le domaine du « on dit »; dans un grand nombre, ou même dans le plus grand nombre des cas, on trouve dans les textes les mots mêmes « on m'a dit que » ou « telle personne m'a dit que »; il s'agit très souvent de voyageurs ou de touristes qui ont visité Stratford même cent et deux cents ans après la mort de Shakespeare, et recueilli des récits ou des détails de la bouche d'habitants de la localité; souvent, d'hommes de la région qui ont tenu un journal; de passages empruntés à des correspondances; de recueils d'anecdotes et de traditions; de recueils de biographies diverses; d'ouvrages d'érudits locaux sur leur province; de pièces de vers s'élevant rarement au-dessus de l'épigramme; même, enfin, des efforts des premiers biographes systématiques de Shakespeare, Rowe en 1709 et Oldys vers 1750, et de l'école shakespearienne du XVIIIe siècle, qui ont abondam-

ment utilisé ces sources incertaines. Il va de
soi que la valeur de ces éléments de légende
diminue à mesure que l'on s'éloigne de
l'époque; ceux qui émergent seulement au
XVIIIe ou même au XIXe siècle n'en ont à peu
près aucune, ce qui ne veut pas dire que ceux
du XVIIe en aient beaucoup. On peut, avec
Chambers, reconnaître trois courants principaux de tradition; celui qui part de Londres
est relatif surtout aux relations de Shakespeare avec le théâtre, et a eu sa source principale dans Sir William Davenant, ce fils de
l'aubergiste d'Oxford qui aurait volontiers
passé pour le fils de Shakespeare; la tradition
d'Oxford se rapporte justement aux seuls rapports de Shakespeare avec la famille Davenant; enfin, la tradition stratfordienne est de
nature très diverse. La plus grande circons-
pection doit, bien sûr, s'imposer aux biographes qui se risquent à faire usage de ces éléments; beaucoup d'entre eux s'en départent
malheureusement trop souvent; on conçoit
que toute prétendue précision ou tout détail

qui ne sont pas fondés sur les 24 séries de documents sûrs ou à peu près sûrs proviennent uniquement de la légende shakespearienne. Et donc, pour citer au hasard quelques-uns des embellissements les plus répandus et les plus pittoresques, légende les assauts d'esprit avec Ben Jonson à la taverne de la Sirène, légende les beuveries, et la beuverie finale, légende le vol des daims dans le parc de Sir Thomas Lucy, légende les détails attirants sur la jeunesse et les études, légende les chevaux tenus à la porte des théâtres, légende les frasques à Oxford, à l'auberge de la Couronne... Il y a probablement, à peu près certainement, du vrai dans tout cela, et dans bien d'autres rapports; mais qui démêlera ce vrai d'avec l'imaginaire? Légende! légende! Et simple hypothèse, la suggestion récente de M. A. Gray, que le jeune Shakespeare pourrait avoir été élevé et instruit au château de Sir Henry Goodere, à Polesworth, près de Coventry; suggestion que l'auteur fait bravement précéder de ce titre impavide : *Un chapitre de la jeunesse de Shakespeare.*

Il est une quatrième série de faits qui peuvent être considérés comme des sources de la biographie de Shakespeare et de l'histoire de son œuvre : c'est le relevé, aussi complet et précis que possible, de toutes les représentations qui ont laissé des traces de toutes les pièces de Shakespeare, de toutes les pièces jouées par sa troupe, de toutes les pièces jouées par toutes les troupes, à la Cour, à Londres, en province; ces traces sont le plus ordinairement découvertes dans les comptes des receveurs municipaux; ce travail est poursuivi par de nombreux érudits, et la présentation de ses résultats essentiels fait l'objet d'un appendice de 5o pages dans Chambers. Le recensement de toutes les éditions in-quarto et in-folio, et même de tous les exemplaires connus, avec les différences qu'ils présentent souvent entre eux, est poussé à l'extrême limite possible. Enfin, Chambers n'a pas jugé indignes de la réunion sous une rubrique les faux documents shakespeariens fabriqués à

diverses époques par des savants à qui le désir
de trouver a fait oublier l'honnêteté la plus
simple.

En ajoutant aux documents de la première
catégorie les livres publiés avec le nom de
Shakespeare ou contenant des œuvres à lui
attribuées, et les mentions des représentations
connues, on n'a qu'un terrain bien étroit, s'il
est relativement solide; j'ai dit qu'une biographie pure ne sortirait pas de ce terrain-là;
mais la conception ordinaire du genre admet
une dose non seulement d'interprétation mais
de remplissage, remplissage qui ne peut jamais être accepté que sous réserve, quelles
que soient la science, la modération et l'autorité du remplisseur. Demandons-nous donc
à présent quelles sont les tendances qui frap-
pent ceux qui sont de longue date familiers
avec la question, dans la biographie que peut
écrire aujourd'hui un homme prudent.

La famille de Shakespeare apparaît maintenant comme plus bourgeoise que paysanne,
malgré la profession principale manuelle du

père, gantier ou tanneur pour la ganterie,
malgré la répugnance de toute la famille à
se servir de l'écriture : gens analogues à ceux
qu'on voit dans les *Joyeuses Commères de
Windsor*, dit Chambers. Il est improbable que
ce père ait été ni un catholique, ni un *recu-
sant* — un des premiers puritains. Stratford
apparaît de plus en plus, non pas comme le
sale village qu'on a prétendu, mais comme
une ville importante par ses marchés, ses ins-
titutions juridiques, ses fondations religieuses,
son collège, les châteaux voisins, sa position
sur des routes de grand passage, l'effort même
qu'on y voit pour faire appliquer les règle-
ments d'hygiène violés; je ne trouve nulle
part d'évaluation du chiffre de la population,
mais cette évaluation a dû être tentée. Le jour
exact et le lieu exact de la naissance de Shakespeare sont toujours inconnus; la « maison
natale » actuelle n'a pour elle qu'une bonne
probabilité, aussi bonne pour la voisine, dite
« le magasin à laine »; mais Shakespeare
pourrait encore être né dans une autre maison

de son père. Le mystère d'Anne Whateley et
d'Anne Hathaway reste inexpliqué de façon
certaine : la vraisemblance est pour une
erreur du scribe dans le premier nom, plutôt
que pour deux personnes distinctes, ou deux
mariages distincts. La date du départ de Stratford reste inconnue; malgré les spéculations de
M. A. Acheson pour reconstituer « les années
perdues » de Shakespeare dans son livre de
1920, un trou béant demeure entre 1584,
année où Shakespeare est encore à Stratford
puisque deux jumeaux lui naissent le 2 février 1585, et la diatribe de Greene en 1592,
qui le montre à Londres, acteur, et ayant déjà
mis la main à des pièces. Les études et les
lectures de Shakespeare ne peuvent toujours
nous être connues que par l'usage qu'il en a
fait; l'hypothèse d'études juridiques ne rencontre plus créance, les connaissances de
Shakespeare en droit et dans les usages légaux
étant considérées comme inégales, inexactes
et imparfaites. La présence, dans l'œuvre, de
noms de lieux et de personnages suggérant

le voisinage de Stratford et la région des Cotswolds, est impressionnante, mais de façon très inégalement décisive; en aucun cas on ne dépasse une forte probabilité. Tous les voyages à l'étranger, en Italie ou ailleurs, ou même en Ecosse, attribués à Shakespeare, demeurent des suppositions improbables. Les années 1592 à 1594, pendant lesquelles il débute, sont des années de confusion dans le monde des théâtres; après la lueur que jette sur lui l'éclat de Greene en 1592, il retourne dans l'ombre jusqu'en 1594, au moment où les troupes théâtrales se regroupent.

Si on suit assez bien l'histoire de sa troupe, son rôle personnel y demeure obscur; il ne semble pas avoir joué beaucoup, ni long-temps; son nom n'apparaît qu'une fois dans une mention de représentation (qui pourrait bien figurer dans les documents de la pre-mière catégorie), à la Cour, à Greenwich, les 26 et 27 décembre 1594. On ne sait rien de sûr de ses qualités comme acteur; il n'aimait pro-bablement pas ce métier; il se serait bientôt

cantonné dans le rôle de pourvoyeur de la
troupe. Sidney Lee lui attribuait un revenu
de 700 livres par an : Chambers ne pense pas
qu'il ait dépassé 200 dans les meilleures
années. Si Elisabeth montra de la colère contre
la représentation de *Richard II*, elle n'en
voulut sérieusement ni à l'auteur, ni aux
acteurs. Si Shakespeare a peut-être donné
quelque considération à la personnalité des
artistes appelés à jouer ses principaux rôles,
il est très invraisemblable qu'il ait strictement
écrit les rôles pour les artistes. L'incertitude
demeure sur le poète-rival qu'indiquent les
Sonnets; la probabilité pour Chapman n'est
pas beaucoup plus forte que pour plusieurs
autres. On retrouve mal dans les œuvres ce
qui peut représenter les répliques de Shakespeare aux brocards de Ben Jonson, répliques
que les contemporains voyaient, puisque l'un
d'eux nous parle d'une purge administrée par
Shakespeare à Ben, en réponse à la pilule de
celui-ci. Toutes les tentatives semblables à
celles de Miss Winstanley pour voir dans les

pièces des allusions aux personnages, situations et événements politiques de l'époque, viennent se fracasser contre l'écueil du dilemme suivant : ou bien les contemporains ne comprirent pas ces allusions, et alors elles sont inexistantes, ou bien ils pouvaient les comprendre, et alors la censure les aurait instantanément supprimées; du reste, des auteurs et des acteurs qui dépendaient tellement de la faveur de la Cour ne se seraient jamais exposés à ce risque; il faut reconnaître, pourtant, que le cas de *Richard II* prouve que le théâtre a pu parfois avoir des rapports avec la politique.

Shakespeare a passé, vers 1609-1610, par une crise de pensée : fut-elle sentimentale? philosophique? religieuse? les dernières tragi-comédies portent la marque, par comparaison avec les grandes tragédies, d'une espèce de conversion; une conversion à quoi? Ceci, en tout cas, ne nous est connu que par les œuvres. La retraite à Stratford semble être de 1610; mais il ne s'était jamais détaché de

4

Stratford; mais il continua à faire des séjours
à Londres. Il n'écrit plus après 1613; peut-
être fut-il atteint de quelque affaiblissement
physique et mental. Nous n'avons pas l'impression d'une fidélité parfaite à Anne Hathaway; ce n'est pas le vin qui fut son faible;
ainsi pense Chambers, avec de l'indulgence
dans les termes. La preuve n'a pas été faite
qu'il faille attribuer ni à son esprit ni à sa
plume l'addition au manuscrit de *Sir Thomas
More*, ou une partie de cette addition, dans
laquelle pense le reconnaître toute une cohorte
d'érudits; discussion ancienne, relancée en
1916 par Sir Edward Maunde Thompson. Je
trouve étrange que Chambers traite rudement
l'hypothèse de Quincy Adams, que Shakespeare pourrait avoir appris son mauvais français de *Henri V* dans la maison Montjoie;
l'inférence est pourtant bien indiquée; voici
le seul cas où on ait un document irréfutable
montrant Shakespeare, l'homme, en contact
avec les moyens d'acquérir une de ses connaissances, et on refuse qu'il s'en soit servi!

Aucun portrait de Shakespeare ne présente de garanties d'authenticité; ce qu'il y aurait de moins incertain, ce sont la gravure de Droeshout dans l'in-folio et le buste de Stratford, du reste l'un et l'autre encore bien discutables, peu séduisants et peu satisfaisants. Aucun des objets exhibés dans la « Maison natale » n'est sûrement authentique.

Pour la première fois dans l'histoire du monde, une bibliothèque spéciale vient d'être consacrée à abriter tous les documents concernant un écrivain déterminé : c'est celle qu'a fondée à Washington M. Folger, l'un des directeurs de la Standard Oil Company, pour y abriter sa collection shakespearienne unique; elle contient plus de 80.000 volumes; des artistes célèbres l'ont ornée d'œuvres inspirées par Shakespeare; le fondateur est mort avant l'achèvement de l'installation.

Je n'ai tenu aucun compte dans cet exposé des hypothèses antistratfordiennes; je leur ai fait ailleurs la part assez belle pour qu'on ne se plaigne pas que je les ignore, et que je leur

refuse une place dans les « études shakespeariennes »; celle qui montre actuellement le
plus de vitalité est la thèse oxfordienne, soutenue par la Shakespeare Fellowship.

*
* *

Je croyais avoir mis le point final à cette
étude lorsque le numéro d'octobre 1931 de la
revue *The Atlantic Monthly* nous apporte justement la nouvelle de la découverte d'un
document nouveau sur la vie de Shakespeare :
c'est la première depuis 21 ans [1]. M. Leslie
Hotson, excellent spécialiste de l'histoire du
théâtre au XVIIe siècle, et grand découvreur
de faits et de choses inconnus, mais dont les
travaux portaient plutôt jusqu'ici sur l'époque
de la Restauration, en est l'auteur. Il vient
de déterrer et de publier une pièce légale,
datée du 29 novembre 1596, dans laquelle on

1. Je dois tous mes remerciements à M. A. Y. Fisher
qui m'a signalé à temps l'article de l'*Atlantic Monthly*.

voit un certain William Wayte demander la
protection de la loi contre William Shakespeare, Francis Langley, et d'autres, par qui
il se prétend menacé de mort; une autre pièce,
datée du 3 novembre 1596, soit 26 jours plus
tôt, montre Francis Langley réclamant lui
aussi la même protection, pour la même
raison, contre William Gardener et William
Wayte, et donne tout lieu de penser que
l'autre pièce n'est qu'une riposte à celle-ci,
première en date; cette demande de protection
était une démarche commune dans la pratique
légale de l'époque, dans les cas de différends
aigus. M. Hotson est rapidement parvenu à
identifier, de façon très convaincante, les personnages, et à éclairer les circonstances : Francis Langley était le propriétaire du théâtre du
Cygne, construit sur la rive sud de la Tamise
en 1595; William Gardener était le juge ou
magistrat du district, qui fut chargé à différentes reprises de mesures de coercition contre
les théâtres et leurs directeurs; tout magistrat
qu'il fût, c'était un coquin fieffé; William

Wayte était son beau-fils, par le mariage de
Gardener avec sa mère, née Frances Luce,
veuve Wayte; c'était un pauvre homme,
homme à tout faire et dupe de son beau-père,
qui tenta de s'approprier l'héritage de sa famille maternelle. Les conséquences de la découverte de M. Hotson affectent d'une part la
biographie et d'autre part l'intelligence de
l'œuvre; pour la biographie, elles confirment
la résidence de Shakespeare sur la rive sud,
à Southwark, en 1596, que Malone connaissait
par des documents aujourd'hui perdus (à
moins que ce ne soient ceux que vient de
mettre au jour M. Hotson?); on aperçoit même
les raisons de cette migration, les mesures de
rigueur de 1596 contre les théâtres étant moins
strictes en dehors de Londres, et Langley,
propriétaire du terrain et du théâtre, jouissant
malgré tout au Cygne d'une indépendance
relative; pour l'œuvre, une lumière nouvelle,
sinon encore décisive, serait jetée sur le personnage du juge Shallow, des *Joyeuses Commères*, toujours considéré par beaucoup

comme une caricature de Sir Thomas Lucy,
le riche propriétaire de Stratford, avec qui on
n'a pas prouvé que Shakespeare ait eu le
moindre rapport; il semblerait bien s'agir en
réalité du juge Gardener; la femme de celui-
ci, née Luce, et par la suite, lui-même, por-
tèrent également dans leurs armoiries les trois
« luces », les trois brochets, qui ont fait longtemps croire à Sir Thomas, désigné, pensait-
on, par le calembour fameux sur les « luces »,
les brochets, et les « louses », les poux; il y
aurait de plus, et ceci est entièrement nouveau, de fortes raisons de voir, dans le nigaud
Slender, que Shallow essaie de marier à une
riche héritière, au moins de fortes réminis-
cences de William Wayte, pantin de son beau-
père, qui le maria effectivement à une riche
héritière, pour son profit personnel. Enfin, si
Shakespeare était au Cygne en 1596, on pourrait reconnaître *La Nuit des Rois* dans la pièce
que le dessin de De Witt nous montre en cette
année représentée sur cette scène; il s'ensui-
vrait un avancement important de la chrono-

logie des pièces. Tels sont, très sommairement indiqués, les faits principaux et les conséquences principales de la découverte de M. Hotson; les autorités n'ont pas encore eu le temps de se prononcer; mais l'intérêt est plus vif, dans le monde des shakespeariens, qu'il n'avait été depuis très longtemps; ma modeste impression est favorable; les documents sont indiscutables; les inférences me paraissent solides. Il y a peut-être encore de beaux jours pour les chercheurs.

J'ai mangé mon pain blanc le premier, et ceux qui veulent bien me suivre partagent mon sort; il nous faut maintenant risquer de nous casser les dents sur le dur pain noir des controverses entre foliolâtres et désintégrateurs, et sur les graviers indigestes, et souvent indigestibles, qu'il renferme; et puisque nous sommes en veine de métaphores, s'il fut jamais un arbre et une écorce entre lesquels il soit dangereux de mettre le doigt, c'est bien ici qu'ils se trouvent; à voir la facilité avec laquelle se traitent, non seulement d'esprits faux, mais d'ignorants, des hommes qui ont passé toute leur vie à étudier les questions shakespeariennes, je comprends ce que je risque, simple enregistreur des recherches d'autrui, presque amateur; je prie donc les arbres et les écorces d'être miséricordieux à

mon ignorance et à ma témérité, et de mettre
cette dernière sur le compte d'un sincère et
sans doute un peu naïf désir de savoir.

J'ai déjà dit que pour quiconque, au début
de 1932, s'efforce d'apercevoir la direction
prise et les résultats acquis par les études
shakespeariennes, il est clair que le problème
de l'authenticité rejette en ce moment tout le
reste dans une zone d'intérêt secondaire; les
conservateurs même ne le nient point; quiconque réfléchit, parle, écrit sur Shakespeare,
est, au fond de soi, inquiet, ne pouvant savoir
jusqu'à quel point la base est solide; je parle
des savants, non des littérateurs, sereinement
indifférents à la vérité, et qui décident par
avance d'ignorer tous les doutes, et de se faire
une âme d'il y a cent ans. Ce malaise, qui est
la marque distinctive de notre heure, s'est
énormément accentué depuis l'*Esquisse* de
Herford, publiée en 1923; on peut dire que,
par comparaison, il existait à peine il y a neuf
ans; sur les 58 pages de Herford, un peu plus
de 3 seulement sont placées sous la rubrique

Authentique et inauthentique, et les travaux
alors parus de Robertson y tiennent naturellement presque toute la place. C'est justement
vers cette année 1923 que se creuse, profond
et peut-être définitif, le fossé entre les conservateurs et la nouvelle école; c'est en 1924 que
le mot de « désintégration » sera mis dans
la grande circulation par Chambers pour dési-
gner l'effort qui tend à distinguer les portions
vraiment shakespeariennes du texte; je trouve
ce mot dans le *Year's Work in English
Studies* pour 1923 sous la signature de
A. W. Reed, mais l'article est naturellement
publié en 1924, le mot est entre guillemets,
s'applique à M. Robertson, et est vraisemblablement écrit après la conférence de Chambers. En 1923, M. Robertson n'en était encore
qu'à la seconde partie de son Canon, n'ayant
fait connaître ses conclusions que pour
*Henri V, Jules César, Richard III, Les deux
gentilshommes de Vérone, Richard II, La Comédie des Erreurs,* et *Mesure pour Mesure,*
et aussi pour *Titus Andronicus,* son premier

effort en 1905. Le *Nouveau Shakespeare de Cambridge*, de MM. Quiller Couch et Dover Wilson, n'en était encore qu'à ses débuts : *La Tempête, Les Deux Gentilshommes* et *Les Joyeuses Commères de Windsor* en 1921, *Mesure pour Mesure* et les *Erreurs* en 1922, *Beaucoup de bruit pour rien* et *Peines d'amour perdues* en 1923. C'est à ce moment que, dans le camp conservateur, on comprend vraiment pour la première fois les tendances de Cambridge; il est curieux et même amusant de voir les réserves mélangées par l'orthodoxie à son éloge des premiers volumes, réserves qui n'exprimaient encore que de l'inquiétude, prendre rapidement un ton alarmé, pour aboutir à l'éclat de 1924; elle s'aperçoit que, par une route différente, ceux qu'elle avait pris pour de bons travailleurs orthodoxes, apportent en réalité du renfort à M. Robertson. Ni celui-ci, ni Cambridge, ne sont restés inactifs depuis; M. Robertson a publié un troisième volume où il traite de *Tout est bien qui finit bien* et de *Roméo et Juliette*, la pre-

mière partie d'un quatrième sur le premier
Henri VI; les deux autres *Henri VI* vont suivre;
Cambridge a ajouté à sa collection *Le songe
d'une nuit d'été* en 1924, *Le Marchand de
Venise* en 1925, *Comme il vous plaira* en 1925,
La Mégère apprivoisée et *Tout est bien qui
finit bien* en 1928, *Le Soir des Rois* en 1930,
sur un rythme relativement ralenti qui té-
moigne du scrupule toujours plus grand des
auteurs, de leur désir de faire de plus en plus
complet et détaillé. Mais nous aurons bientôt
l'occasion de définir les lignes essentielles des
positions des diverses écoles : il nous faut
d'abord nous arrêter pour nous émerveiller
que puisse même se poser le problème de l'authenticité, auquel toutes doivent répondre.

Comment est-il possible qu'après trois siècles de travaux un tel problème se pose?
Certes, si de tout temps une partie de l'opinion critique a jugé possible, simple, naturel
et juste, de faire confiance à Heminges et Condell, et d'accepter comme shakespearien tout
ce que contient l'in-folio de 1623, de très

bonne heure aussi une majorité s'est trouvée
parmi les hommes compétents pour refuser à
Shakespeare plusieurs choses qui en font
partie : pour simplifier, disons seulement
Titus Andronicus et le premier *Henri VI;*
d'autre part, le fait de la collaboration de
Shakespeare avec Fletcher dans *Henri VIII*,
affirmé par les travaux de Spedding, a généralement été accepté par les érudits; dans le sens
inverse, on ne peut dire qu'il y ait jamais eu
de probabilité égale en faveur de l'attribution
à Shakespeare de fragments non compris dans
l'in-folio, quelque bons que puissent être les
arguments en faveur de la réintégration dans
le canon de parties au moins de *Périclès* et des
Deux nobles parents. Telle, peut-on dire, était
la position orthodoxe à la fin du xixe siècle, si
on entend par là la moyenne de l'opinion
autorisée, et telle, en somme, est-elle encore
à peu près aujourd'hui, bien représentée par
Chambers. Mais on voit tout de suite que dès
l'instant où il est permis de révoquer en doute
sur un seul point les dires de Heminges et

Condell, tous les doutes deviennent logique-
ment légitimes; il n'y a, à vrai dire, en la
matière, que deux positions et deux seulement, la foi absolue en l'in-folio, et la position critique; à l'intérieur de cette dernière
position, il n'y a que des degrés; la désintégration commence dès qu'on refuse à Shakespeare une pièce, un acte, une scène, un mot,
une virgule de l'in-folio; Chambers, le Nouveau Shakespeare et M. Robertson sont dans
le même univers; ils sont seulement descendus
jusqu'à des barreaux différents sur l'échelle
du doute; ils sont bien moins loin les uns des
autres que des foliolâtres 100 % — car il y en
a encore, il y en aura toujours, et M. Robertson considère comme tels MM. Peter
Alexander, A. W. Pollard et Lascelles Abercrombie; ils pourraient donc montrer, les uns
pour les autres, plus de tolérance qu'ils ne
font; mais on sait bien que l'hostilité est généralement plus vive envers l'opinion assez voisine qu'envers l'opinion franchement contraire. Quelles sont les raisons qui, au point

où nous en sommes, font que sont mises en
question beaucoup plus de choses que les parties de l'in-folio traditionnellement refusées
à Shakespeare du consentement de la grande
majorité? Certes, toujours les dissonances
internes, raisons du premier problème textuel
résolu, semble-t-il, par Spedding, et qui sont
les armes et les instruments essentiels de
M. Robertson; certes, toujours les relations
extrêmement complexes et sans cesse contro-
versées des in-quartos et de l'in-folio, armes
et instruments essentiels de l'école dite « bibliographique », celle du Nouveau Shakespeare; mais par-dessus tout, me semble-t-il, la
connaissance de plus en plus approfondie que
nous avons de ce qu'est la genèse du texte
imprimé d'une pièce élisabéthaine, connaissance résultant d'innombrables travaux. Il
faut lire, dans Chambers, les chapitres inti-
tulés *Le livre de la pièce* et *Les pièces à l'imprimerie*, pour bien se rendre compte de la
nature du problème que présentent les pièces
shakespeariennes, à peu près autant et pas

plus, semble-t-il, que la moyenne des pièces
de l'époque élisabéthaine; la petite indignation
qu'on pouvait peut-être encore sentir contre
ceux qui s'acharneraient à « priver Shakespeare de son œuvre » se dissipe, à mesure que
se fait jour dans l'esprit un soupçon qui, à
certains, pourra paraître stupéfiant, et que je
formulerais ainsi : « le priver de son œuvre?
mais personne en ce temps, au théâtre, a-t-il
vraiment eu une œuvre, une œuvre à lui? ce
que nous appelons une pièce élisabéthaine,
n'est-ce pas seulement un cadre, un récipient
— on ne sait trop comment dire — dans lequel toutes sortes de gens sont venus déverser
leur apport? » D'où l'indifférence générale
de l'époque au nom qui peut bien figurer ou
ne pas figurer en tête des publications drama-
tiques.

Lorsque M. Bernard Shaw écrit une pièce,
j'imagine qu'après qu'il l'a écrite de son
stylographe, ou peut-être dictée, elle passe à
un secrétaire, qui, habitué à ses ratures et à
ses corrections, en fait une copie à la machine;

de là elle va au directeur du théâtre, aux
acteurs, à l'imprimerie; M. Shaw corrige ou
fait corriger les épreuves... puis il écrit la
préface. A l'origine d'une pièce élisabéthaine,
il faut bien qu'il y ait aussi un homme, ou
des hommes, pour écrire des dialogues et des
conversations sur du papier : et c'est bien ce
mot même, « papers », les papiers, que les
Elisabéthains emploient très souvent pour dé-
signer le manuscrit de l'auteur; ou bien ils
disent quelquefois « the originals », les originaux. Qu'est-ce qui vient se placer entre
ces papiers et les livres imprimés qui nous
sont parvenus? D'abord et surtout, la copie
généralement préparée pour servir de guide
à la représentation, communément appelée
« the book of the play », le livre de la pièce,
et dont la possession par la troupe est le sym-
bole de la possession de la pièce même, qui
lui a été fournie sur commande ou vendue
par l'auteur. Nous avons un petit nombre de
ces « livres de la pièce »; de 9 il existe des
reproductions exactes; et, si je compte bien,

Chambers en énumère 25 autres, qui, pour n'avoir pas été ainsi mis à la disposition du public, n'en ont pas moins été étudiés de très près; 3 de ces 25 sont des pièces shakespeariennes, mais sont clairement des copies faites sur des textes imprimés. Or, ce livre de la pièce est parfois de la main de l'auteur lui-même ou des auteurs eux-mêmes, et donc se confond avec les « papiers », parfois de la main d'un ou plusieurs scribes; parfois aussi il est de celle de ce personnage si important et malheureusement trop peu connu qu'on appelle le « book-keeper », qui semble cumuler les fonctions d'archiviste ou bibliothécaire, de souffleur, de directeur de la scène, et, chose plus importante encore, d'adaptateur. Car il est clair que souvent, la pièce reçue du ou des auteurs est trop littéraire et pas assez scénique, et a besoin d'une mise au point pour être jouée; et on voit souvent le book-keeper prendre cette mise au point sous son bonnet; jusqu'à quel point des modifications de ce genre s'interposent-elles entre les

textes à nous parvenus et Shakespeare, acteur
lui-même sans doute, et qui semblerait avoir
moins besoin qu'un auteur non acteur d'être
modifié pour le théâtre, mais, ne l'oublions
pas, acteur probablement médiocre et dé-
goûté? Problème. Le book-keeper, de plus, ne
se fait pas faute d'introduire dans le manuscrit des indications destinées à lui faciliter la
conduite du spectacle, entrées et sorties d'acteurs désignés par leur nom, en particulier,
que les imprimeurs prendront ensuite pour
partie du texte, et reproduiront. Il convient
également de ne pas oublier que le texte,
avant d'être représenté, a été soumis à la censure, en l'espèce au Maître des Jeux, qui
impose souvent une expurgation, surtout des
allusions politiques et des blasphèmes : est-ce
une copie spécialement faite pour lui qu'il
examine? est-ce simplement le livre de la
pièce, qui peut être aussi le manuscrit de
l'auteur? L'un ou l'autre; on croit assez, dans
un certain nombre de cas, à la longue vie d'un
exemplaire unique, peut-être manuscrit ori-

ginal, peut-être copie du keeper, retouché par
celui-ci, soumis à la censure et corrigé par
elle, conservé indéfiniment dans la bibliothèque de la troupe, revu et modifié par l'un
ou par l'autre chaque fois qu'il y a une reprise; mais la nécessité devait se faire sentir
tôt ou tard, devant la confusion et l'usure
d'un tel document, de faire une ou des copies
nettes et claires pour l'usage des représentations. On ne saurait confondre avec ce livre de
la pièce, guide des représentations, des copies
faites après coup et destinées simplement à la
lecture, dont nous avons encore quelques-unes.

En dehors du livre, il existait encore des
copies des rôles destinées aux acteurs indivi-
duellement, leur donnant uniquement ce
qu'ils avaient à dire, avec les indications né-
cessaires pour bien placer la réplique, et naturellement complétées par eux-mêmes; une
seule nous est parvenue, mais il est connu de
façon sûre que la pratique était générale. Il
y avait encore une autre espèce de documents
manuscrits accessoires : le « plot », espèce de

résumé de la marche de la pièce, entrées et
sorties, décors et bruits, collé sur un carton,
et pendu ou fixé au foyer des acteurs, ou dans
un autre endroit où il pouvait être commodément consulté; 7 sont parvenus jusqu'à nous,
dont 6 en manuscrits, y compris celui de
Troïle et Cresside. Par contre, nous n'avons
pas de « scrolls », copies des lettres ou parties
censées lues incorporées dans les rôles. Qu'on
se représente la multitude de transformations
du texte et d'erreurs de copie qu'implique
l'existence de tous ces documents manuscrits,
tous plus ou moins utilisés dans la constitution des textes imprimés, lorsqu'ils ont eu
des manuscrits pour base; qu'on n'oublie pas
que la pratique de la collaboration entre deux
et même plusieurs hommes n'est point dou-
teuse; on croit peu, aujourd'hui, à la révision
stylistique méticuleuse d'une vieille pièce par
un nouvel auteur, qui a été longtemps l'explication fondamentale d'une grande partie de
l'inexplicable en matière shakespearienne;
mais il ne faut pas cependant négliger les

questions soulevées par la reprise, possible ou
prouvée, de pièces anciennes par un homme
nouveau, par les refontes ou revisions par
l'auteur de ses propres pièces, par toutes les
retouches ultérieures d'une autre main que
la sienne pour reprises ou représentations
nouvelles. Il faut savoir, pour finir, qu'une
pièce n'a pas qu'une seule forme, dans l'es-
pace aussi bien que dans le temps, c'est-à-dire
qu'elle ne se joue pas partout de la même
façon; la pratique de l'abréviation, ou au
moins de l'adaptation, pour les besoins des
tournées en province, des pièces jouées à Londres, est certaine; pour s'accommoder du
nombre plus petit des acteurs, on transforme,
on comprime, on supprime des rôles; ces
transformations ne sont pas forcément les
mêmes pour chaque tournée; combien d'entre
elles se sont introduites dans les textes imprimés? Lorsqu'on réfléchit à tout cela, on
commence à avoir quelque idée des difficultés
qu'offre l'élucidation de la genèse des textes
dits shakespeariens.

Mais nous ne sommes encore qu'au com-
mencement de ces difficultés; du foyer des
acteurs, dirigeons-nous vers l'atelier de l'imprimeur où s'élaborent les volumes qui sont
venus jusqu'à nous : comment le texte y est-il
parvenu? Comprenons bien d'abord que ce
texte n'appartient plus à l'auteur, qui l'a
vendu à une troupe pour une somme qui est
en moyenne de 6 à 10 livres; le texte appartient donc à la troupe. Or, les signes ne man-
quent pas qu'elle tient peu à le vendre, non
qu'elle craigne qu'une autre s'en empare pour
la jouer — un tel larcin serait ,bien sûr, trop
public pour ne pas amener la revendication
inévitable — mais plutôt que la pièce ainsi
publiée perde de sa fraîcheur et attire moins
le public; c'est une propriété, et la troupe
s'appauvrit en s'en défaisant pour une somme
qui ne peut lui sembler une compensation
suffisante à sa perte; aussi constate-t-on que
les troupes vendent surtout dans les années
peu prospères. A qui vendent-elles? A un
acquéreur qui peut être un personnage quel-

conque, souvent uniquement connu par cette
acquisition, laquelle donne lieu à toutes sortes
de transactions et de revendications, passant
de main en main, revenant parfois en arrière;
le nouveau propriétaire doit, conformément
à la loi, faire enregistrer son achat dans le
Registre des Libraires, qui porte également
mention de toutes les transactions nouvelles;
c'est donc pour le propriétaire actuel du texte
que les imprimeurs impriment et que les bou-
tiques vendent les livres; de l'auteur, il n'est
depuis longtemps plus question. De quelle
nature, donc, sont les documents manuscrits
qui sont mis à la disposition des composi-
teurs? Ce peuvent être des originaux d'auteurs, des livres de la pièce longuement utilisés au théâtre et derrière la grille probable
du souffleur, ou des copies faites pour la cir-
constance, même si on ne croit plus guère à
l'existence d'un personnage uniquement
chargé de ce soin; on soupçonne particulièrement des copies lorsqu'on se trouve en présence de deux ou plusieurs textes imprimés

parallèles. Une autre théorie, particulièrement
soutenue par les éditeurs de Cambridge, veut
qu'on ait procédé assez fréquemment par
assemblage des rôles individuels des acteurs,
avec ou sans l'aide du « plot », ou résumé
général; ce n'est pas impossible ni inconce-
vable dans les cas de perte de tous autres
manuscrits; mais vu la complication du procédé, et ses multiples risques d'erreurs sup-
plémentaires, on n'a dû y recourir qu'en cas
de nécessité absolue.

Tout ceci s'entend des opérations légitimes,
suites d'une vente régulière et correcte de la
pièce par la troupe aux fins de publication;
mais il y a un autre cas à considérer. On a
reconnu depuis longtemps qu'il y avait, parmi
les in-quartos shakespeariens, deux classes
très nettes, qu'on accepte en général d'appeler, selon la terminologie de M. Pollard, spécialiste le plus autorisé en ces matières, les
« bons » et les « mauvais »; les premiers
offrent des textes relativement bien imprimés
et corrects, les seconds, des textes invraisem-

blablement corrompus, et même, par endroits,
inintelligibles; c'est ceux-ci qu'Heminges et
Condell désignent comme « surreptitions »
clandestins; dans cette seconde catégorie, non
seulement l'erreur d'impression fourmille,
mais il y a un nombre immense d'autres
erreurs, dues au désir et à la nécessité
d'adapter pour la scène, au désir d'améliorer
le texte, à l'inclusion de passages avant ou
après leur place véritable, à l'omission, à la
répétition, à l'interversion ou à la mutilation
des lignes, au massacre du mètre, parfois dans
le désir de l'arranger, à l'attribution erronée
des répliques, à l'introduction de paraphrases,
de mots tenus pour équivalents, ou qui veulent ramener la poésie de l'auteur au niveau
du public le moins exigeant, même à l'introduction de passages du même auteur dans
d'autres pièces, ou même de passages d'autres
auteurs! Il est incroyable que Shakespeare,
ou n'importe qui, ait écrit cela, et que sa
troupe, ou n'importe quelle troupe, l'ait représenté; or, des 53 in-quartos connus, dont

21 originaux et 32 réimpressions, 14, dont
6 originaux [1], sont de ces « mauvais », si je
compte bien dans la table de Chambers. Et
donc, tout ce que je viens de dire de la transmission du texte s'applique seulement aux
bons in-quartos mais pas aux mauvais; pour
ceux-ci, l'entrepreneur de la publication
s'était certainement procuré le texte par des
moyens peu honnêtes. On a le choix entre
deux hypothèses principales, appuyées également par des arguments tirés des textes mêmes,
soutenues l'une et l'autre par des travaux
importants. Selon la première, c'est de mémoire que des agents rapportaient les portions
du texte qu'ils pouvaient connaître, avec
toutes les imperfections que comporte un tel
mode de transmission, dont les plus graves
viennent de ce qu'un acteur ne récite jamais
exactement son texte, mais le modifie,
l'abrège ou l'amplifie de son cru, et de ce que
l'oreille humaine, faillible, n'entend jamais

1. *Henri VI 2*, *Henri VI 3*, *Roméo et Juliette*, *Henri V*,
Henri IV 1, *Les Joyeuses Commères*.

exactement ce qui se dit. Qui étaient ces rap-
porteurs? des complices disséminés dans l'au-
ditoire, sans doute; mais nul n'était plus apte
qu'un acteur, qui avait récité au moins un
rôle, et probablement on l'achetait assez souvent; on soupçonne alors de trahison l'acteur
dont le rôle est moins mal rapporté que les
autres; le traître pouvait être aussi le book-
keeper, bien placé pour avoir une idée générale, mais imprécise, de la pièce; peut-être
aussi pouvait-il abstraire un « livre » du magasin pendant une période où on ne s'en servait pas, sans courir trop de danger d'être pris;
mais dans ce cas on n'aurait plus affaire à une
transmission par la mémoire. A côté de celui-
ci, l'autre mode de communication illégitime
devait être la sténographie, avec toutes ses
incertitudes, surtout à une époque où cet art
était encore dans l'enfance; les divers systèmes connus à la fin du XVIe siècle et au début
du XVIIe ont été étudiés de très près; il n'est
pas impossible qu'ils aient été quelque peu
utilisés en l'occurence.

Qu'on veuille bien remarquer que nous n'avons pas encore quitté les documents manuscrits, et pas encore mis le pied dans l'atelier de l'imprimeur; dès que nous y pénétrons, s'ouvre à nous encore tout un autre monde de possibilités et de probabilités d'erreurs, mais un monde mieux connu; c'est ici la psychologie générale de l'erreur d'impression qui doit nous guider, corrigée cependant par une connaissance exacte de la technique de l'imprimerie élisabéthaine, qui nous est fort bien connue par de nombreux travaux spéciaux; éclairée dans certains cas par cette technique particulière, nous trouvons là toute la gamme bien connue des erreurs du compositeur : erreurs de vision lorsqu'il lit mal son texte; d'attention lorsqu'il supprime ou répète des passages, prend des lettres les unes pour les autres — et l'écriture de l'époque, tant anglaise qu'italienne, prête fort à ces confusions; de mémoire lorsqu'il se fie trop à lui-même, et compose une trop longue phrase sans reconsulter son texte; d'automatisme lorsque ses gestes le conduisent au casier qui ne convient pas et lui font prendre un caractère à la place d'un autre; de jugement lorsqu'il replace mal les insertions marginales du manuscrit, prend des noms d'acteurs insérés par le book-keeper pour des noms de personnages, ou, pire encore, se permet de corriger le manuscrit qui lui semble peu intelligible; erreurs mécaniques aussi, dues au fonctionnement défectueux de la machine, dans l'un des stades de la composition ou de l'impression. Il n'est pas jusqu'à la ponctuation qui ne soit un gros problème, sur lequel s'écrivent de gros livres, toute une école prétendant que celle de Shakespeare n'a rien à voir avec la grammaire, mais représente un système de conventions destinées à guider l'acteur dans son débit : mais alors qui l'aurait rectifiée quand elle était inexacte? les auteurs, si loin de leur texte? les propriétaires de manuscrits? les imprimeurs? ou quelle autre personne?

Bons ou mauvais, 21 in-quartos originaux ont pourtant fini par sortir des presses ayant

1623; il y a parmi eux 2 *Hamlet* et 2 *Roméo et Juliette*, un « bon » ayant pour l'une et l'autre pièce remplacé un « mauvais » à un ou deux ans d'intervalle; cela fait donc 19 pièces, dont 18 ont été reprises dans l'in-folio, *Périclès* seul étant omis; de ces 18, 14 sont de bons in-quartos, et 4 de mauvais; et 18 pièces nouvelles ont été ajoutées. On conçoit tout de suite que l'étude de la constitution du texte se présente de façon différente dans les trois cas, selon qu'il s'agit des 18 pièces pour lesquelles le seul texte connu est celui de l'in-folio, des 4 pour lesquelles la seule alternative est un mauvais in-quarto, ou des 14 pour lesquelles on peut mettre en face l'un de l'autre le texte de l'in-folio et le texte d'un bon in-quarto. Dans les deux premiers cas, aucune raison évidente ne s'oppose à ce que les imprimeurs aient eu en main, comme l'affirment Heminges et Condell, des manuscrits, livres de la pièce ou copies de ces livres; dans le troisième, il est impossible de les croire, les in-quartos ayant évidemment

servi de base à la préparation de l'in-folio;
la chose est prouvée non seulement par la
reproduction des mêmes erreurs, qui, à la
rigueur, pourrait faire soupçonner une origine manuscrite commune, mais par la res-
semblance générale du détail orthographique
et typographique; les seules exceptions sont
Othello, pour lequel l'in-quarto, publié en
1622, seulement était à peine terminé, et repose
sur la même source que l'in-folio, et *Hamlet*,
qui a pour base dans l'in-folio une version
abrégée pour les besoins de la scène; pour les
douze autres pièces, il y a eu du reste aussi
dans l'in-folio une sorte de révision générale
dépassant fortement les attributions des imprimeurs, dans le sens de l'adaptation au théâtre,
par suppressions, additions, retouches des
indications scéniques et autres, élimination
des blasphèmes. Il faut enfin indiquer que la
science moderne vient seulement assez récemment de reconnaître une mystification qui
avait trompé trois siècles : un groupe de sept
in-quartos shakespeariens, dont un contient

le second et le troisième *Henri VI*, deux portant la date de 1600, deux celle de 1608, deux celle de 1619, le septième sans date, plus deux in-quartos non-shakespeariens portant les dates de 1600 et 1619, ont été identifiés comme faisant en réalité partie tous les neuf d'une même tentative d'édition générale, quelques années avant l'in-folio, et émanant du même milieu et de la même entreprise, celle des Jaggard, en 1619; nous ne savons pas sûrement de quelle nature fut la résistance qui fit interrompre la publication; mais ce qui est certain est que des dates fausses furent substituées à la date vraie de 1619; une telle machination démasquée après tant d'années, voilà qui donne espoir sur nos possibilités de trouver encore de la vérité. Telles sont les conditions dans lesquelles se pose le problème de la transmission du texte shakespearien, et je n'ai rien exagéré; au contraire, mon exposé est plutôt une simplification, et je laisse sciemment de côté, pour les besoins de la clarté, de nombreuses causes secondaires de com-

plexité. Ces conditions sont telles que personne ne mettrait en doute aujourd'hui la jus-
tesse du principe suivant : il y a 36 pièces
dans l'in-folio; il y a donc 36 problèmes particuliers à résoudre si l'on veut d'abord savoir
quelle espèce de documents les imprimeurs
ont eu en main pour chacune d'elles, l'histoire préalable probable de ces documents,
et comment ils les ont traités; voilà le chemin
par lequel il faut inévitablement passer pour
arriver à Shakespeare.

Lorsqu'on arrive à lui, que trouve-t-on? A
peu près personne — je parle de ceux qui
comptent — ne trouve strictement la même
chose, et ce serait bien surprenant, vu la
nature de la question; aussi M. Robertson
peut-il se donner le malin plaisir d'opposer
les uns aux autres par de multiples points
particuliers de leurs vues, ceux qu'il prétend
être tous coalisés contre lui. Très simplement,
pour simplifier ici aussi, je me risquerais à
ramener les catégories plus nombreuses que
distingue M. Robertson dans son dernier livre

à quatre seulement, que je placerais en des-
cendant l'échelle de la foi à l'in-folio : les
fidèles parfaits ou presque parfaits, la masse
de l'orthodoxie assez bien représentée par et
groupée autour de Chambers, l'école dite
bibliographique dont le Nouveau Shakespeare
de Cambridge est le centre d'action le plus
important, et enfin M. Robertson qui représente une école à lui tout seul; car s'il n'est
pas seul de son avis, tant s'en faut, nul ne
peut prétendre, parmi ses partisans mêmes, se
ranger à côté de lui pour l'importance des
travaux, et il donne difficilement son appro-
bation.

Il ne faut point s'étonner qu'il y ait toujours des spécialistes qui tendent vers la « foliolâtrie » absolue, accordant à Shakespeare
même *Titus Andronicus;* la position, il faut
lui rendre cette justice, est logique; ce fut
celle de l'Allemagne pendant tout le xixᵉ siècle; je ne vois pas, pourtant, que personne qui
compte parmi les ultras se risque à revenir
sur l'attribution à Fletcher d'une part dans

Henri VIII; mais M. Peter Alexander en arrivera peut-être là; son succès le plus récent est d'avoir à peu près démontré que les deux « vieilles pièces » sur lesquelles on a cru longtemps qu'étaient fondés le deuxième et le troisième *Henri VI* ne seraient en réalité que de mauvais in-quartos shakespeariens, ce qui consoliderait fortement le maintien dans le canon de ces deux pièces, toujours fortement attaquées, bien que moins fréquemment rejetées que la première partie. M. Abercrombie semble se compromettre moins, et tenir seulement que si Shakespeare n'est pas l'auteur de tout l'in-folio, il est au moins « responsable », comme rédacteur et ordonnateur principal, de tout ce qui s'y trouve, ou fut au moins tenu pour tel par Heminges et Condell; je ne sais jusqu'à quel point lui et M. Pollard, célèbre par de si importants travaux sur le terrain bibliographique, acceptent, ce dernier surtout, d'être classés par M. Robertson dans les rangs de la foliolâtrie intégrale; il doit y avoir erreur.

Pour la masse de l'orthodoxie, j'entends masse ou majorité des travaux et des noms, ce qui ne veut pas dire travaux les plus frappants ou noms les plus célèbres, il me semble, tout bien considéré, que si elle est de plus en plus réduite à une bataille défensive, elle n'a pas encore été contrainte, par l'évidence de résultats nouveaux, à modifier beaucoup les positions sur lesquelles elle était parvenue au début du siècle, ou même plus tôt; elle en reste à son refus du premier *Henri VI*, de *Titus*, d'un gros morceau de la *Mégère*, de parties importantes de *Timon*, des fragments de *Henri VIII* attribués à Fletcher, de nombreux passages plus courts, considérés de longue date comme des interpolations.

M. Dover Wilson, principal artisan du Nouveau Shakespeare, déclare se donner seulement pour tâche principale de déterminer la nature de la copie dont les imprimeurs se sont servis; MM. Pollard et Greg, « bibliographes » de marque comme lui, ont comme lui pour méthode principale la comparaison des éditions; mais, chemin faisant, ils jettent, presque sans en avoir l'air, énormément de suspicions sur le texte; M. Robertson accuse M. Wilson de n'avoir que les apparences de la réserve et de la discrétion, de suggérer plutôt qu'il ne la proclame la non-authenticité des fragments de vieilles pièces ou des parties retouchées par d'autres mains qu'il rencontre dans Shakespeare; de viser à satisfaire à la fois l'esprit critique et l'autorité; de cacher ses propres desseins en affichant de l'hostilité contre le « désintégrateur » avoué; d'avoir la prudence de se faire couvrir, dans la personne de M. Quiller-Couch, par un collaborateur qui regarde à la fois dans les deux directions. Il me faut dire que j'incline à penser que M. Robertson n'entend pas mal le ton du Nouveau Shakespeare, et que c'est précisément ce ton qui a provoqué, en 1924, la sortie éclatante de Chambers. Mais en sommes-nous donc à ce point que la discrétion et la réserve scientifique puissent exposer celui qui en use à être taxé de duplicité?

M. Robertson, enfin, ne met certes pas son
drapeau dans sa poche; il combat sous la ban-
nière de la désintégration, et son arme et son
outil, c'est le témoignage interne par l'étude
du rythme; il assure qu'il y a un rythme
shakespearien auquel il est impossible de se
tromper. On a certes bien vu depuis toujours
que les premières pièces attribuées à Shakespeare sont écrites dans un mètre raide et mé-
canique, la phrase s'arrêtant à la fin de chaque
vers; on a bien vu qu'une distance infinie
sépare ce mètre de la période en vers, orga-
nisée et innombrable comme un être vivant,
de la maturité; et les étapes qui séparent le
point de départ du point d'arrivée étaient
même le moyen principal qui servait à déterminer l'ordre chronologique possible des
pièces. Tout ce qui sépare les adversaires de
M. Robertson de leur rude antagoniste, c'est
qu'eux croient trouver l'explication de ce fait
dans le développement naturel du grand ar-
tiste créateur, recevant des rivaux qu'il cou-
doie et imite à ses débuts ce grossier instru-

ment, et le portant progressivement à la
perfection qu'il lui a donnée; M. Robertson,
au contraire, pense que le style, ou le vers,
c'est l'homme, que Shakespeare n'a pas pu
s'empêcher d'être lui-même, que l'eût-il
voulu, il n'aurait pu se plier à l'esclavage du
mètre de Marlowe ou de Greene, que dès que
sa main est reconnaissable, il a une manière
qui lui est entièrement propre. M. Robertson
se défend avec énergie de l'objection qu'on
lui oppose couramment qu'il veut expulser
de Shakespeare tout ce qui est mauvais, ou
simplement faible ou médiocre, pour ne
garder que le bon, et du reproche de se fier
doctrinairement à ce que lui dit son oreille,
qu'il tiendrait pour seule bonne; sur ce dernier point il doit lui être facile de répondre,
bien que cette réponse ne me soit pas venue
sous les yeux, que ceux qui lui font ce
reproche opèrent tous fréquemment de la
même façon; de fait, il n'y en a aucun qui en
soit innocent; je trouve maint passage où
Chambers lui-même ne s'y prend pas autre-

ment; on en arrive à opposer oreille à oreille
et autorité à autorité; Coleridge disait déjà que
celui qui prend le premier *Henri VI* pour du
Shakespeare a peut-être des oreilles, tel un
autre animal, mais d'oreille certainement
point. M. Robertson, appuyé sur trente ans de
travaux et quinze volumes, affirme qu'il ne
s'agit pas chez lui d'impressions subjectives,
mais d'une méthode scientifique parfaitement
au point, de laquelle il faut d'abord apprendre
à se servir, ce que ses adversaires refusent de
faire; l'étude de la proportion des syllabes
hypermétriques, ajoutées en finale au vers ou
même parfois à l'hémistiche, lui est en particulier un instrument aussi sûr pour déceler
la présence de Shakespeare, que la baguette
de coudrier ou le pendule à un sourcier pour
déceler celle de l'eau ou du métal : mais d'un
maniement combien délicat! il admet difficilement qu'un autre que lui-même sache s'en
servir.

Les choses en sont là. Chacun, de plus,
accuse les autres de pratiquer une méthode

exclusive; tous affirment n'avoir pas l'esprit si étroit, pratiquer, concurremment avec la leur propre, toutes les méthodes quand il convient, dans ce qu'elles ont de bon, se faire honneur d'entériner tous les résultats acquis quand ils sont indiscutables. Puisque j'ai eu l'audace de parler de foliolâtres 100 %, ou 99 % s'ils n'osent pas refuser à Fletcher une partie de *Henri VIII*, serai-je aussi assez audacieux pour tenter d'évaluer en pourcentage la part de l'in-folio que laissent à Shakespeare les diverses tendances? C'est une évaluation qui peut paraître absurde, que je donne pour ce qu'elle vaut, des chiffres approximatifs avancés de façon presque téméraire, mais qui peuvent aider à rendre plus concrète la situation présente. C'est pour l'orthodoxie courante que la mise en chiffres serait le plus facile; refusant à Shakespeare au moins 2 pièces, plus 3 demi-pièces, plus divers fragments d'autres dont on pourrait par exemple estimer l'ensemble à une demi-pièce; si on amenait ainsi le total à 4, cela ferait, sur 36,

un neuvième, ou environ 10 à 12 %; l'orthodoxie commune serait donc foliolâtre à 88 ou
90 %? Le *Nouveau Shakespeare* de Cambridge
n'a pas encore beaucoup dépassé le premier
tiers de sa tâche; sa demi-réticence rend difficile d'évaluer ce qu'il laissera à Shakespeare
quand il sera terminé; en tout cas, sensible-
ment moins que l'orthodoxie. Pour M. Robertson, qui n'en est pas non plus arrivé beaucoup plus loin que le tiers de son canon, il ne
s'est pas encore prononcé partout, bien que
son opinion soit déjà connue par des travaux
secondaires sur beaucoup de points que n'a
pas encore atteint son œuvre principale; mais
je le vois dans son dernier livre [1] se contenter
de signaler une incohérence de Chambers, qui
l'accuse dans deux phrases successives de
laisser à Shakespeare « extrêmement peu »,
puis « très approximativement un peu moins
de la moitié » de son œuvre; il trouve absurde
qu'on puisse considérer « un peu moins de la

moitié » de 862 pages in-folio comme « extrêmement peu »; mais il ne proteste nullement
contre la proportion de foliolâtrie qu'on lui
attribue; M. Robertson serait donc foliolâtre
45 %; je n'avais pas tort de dire qu'il est dans
le même univers que Chambers; une énorme
distance le sépare encore des antistratfordiens,
la distance infinie qui, pour un mathémati-
cien, sépare toute quantité qui n'est pas nulle
de zéro; il y a encore place pour moins foliolâtre que lui.

Une dernière tâche, bien ingrate, me reste
à accomplir pour terminer ma modeste entreprise : dire très sommairement le sort de chacune des œuvres devant la critique moderne;
l'ordre sera celui auquel s'arrête actuellement
la chronologie moyenne pour les dates probables de composition et représentation; pour la
brièveté, je ne donne pas les raisons de cette
chronologie, et touche à peine par endroits
la question des sources.

Pour le second et le troisième *Henri VI*
(1590-91), Chambers accepte les vues de

M. Alexander, et penche pour un book-keeper
comme reporter clandestin; par opposition
avec ceux qui trouvent dans le texte les mains
de Marlowe, Kyd, Peele, Greene, Lodge, Nashe,
Drayton, et la structure et le style lui paraissent assez shakespeariens; la continuité du
caractère de Richard, qui se relie à *Richard III*,
lui paraît un fort indice d'authenticité. Les
conclusions de M. Robertson sont attendues
incessamment. Pour le premier *Henri VI*
(1591-92) au contraire, l'authenticité n'est
guère défendue ni défendable; Chambers reconnaît six groupes de scènes, et au moins
quatre mains, et pas plus; l'une serait Shakespeare, à qui il ne donne guère que la scène des
jardins du Temple, à l'exclusion des épisodes
Talbot; sur le reste il n'y a pas entente. M. Robertson tient pour Chapman comme auteur essentiel.

L'orthodoxie tient *Richard III* (1592-93)
pour authentique, malgré la rhétorique vio-
lente du style; le caractère de Richard, dans
sa multiplicité, ne peut être que shakes-

pearien; le texte de l'in-folio serait le véritable, fondé sur le livre de la pièce, l'in-
quarto de 1597 et les suivants étant des adap-
tations abrégées pour la scène, d'ailleurs sans
caractère subreptice; les rapports demeurent
incertains entre la pièce de Shakespeare et une
vieille pièce, *La véridique histoire de Richard III*. D'autres reconnaissent Marlowe,
Peele, Drayton; M. Pollard croit à Marlowe et
un manœuvre; M. Robertson à Marlowe auteur essentiel, aidé par Kyd, revisé plus tard
par Heywood; Shakespeare pourrait conserver
six ou sept discours.

L'orthodoxie tient la *Comédie des Erreurs*
(1592-93) pour authentique, et ne voit pas de
raison pour que le texte unique de l'in-folio
ne repose pas sur un livre de la pièce, qui
pouvait être de la main de Shakespeare; le
Nouveau Shakespeare croit qu'elle a été dictée à un scribe à l'aide de rôles d'acteurs, puis
augmentée et retouchée par un autre; il voit
en un ou deux courts passages une autre main
que celle de Shakespeare; il croit que la pièce

nous est parvenue considérablement abrégée.
Pour M. Robertson elle est presque entièrement de Marlowe.

Pour *Titus Andronicus* (1593-94), la com-
plexité des données est telle que l'orthodoxie,
sans se prononcer très catégoriquement,
trouve très difficile d'y reconnaître rien de
shakespearien, ou d'aucun auteur connu, ou
même aucune trace d'une revision par Shakespeare ou par d'autres; elle penche vers un auteur principal inconnu. Dans les autres camps
on diffère à l'infini sur l'auteur, s'il y a eu
un seul auteur et s'il n'y a pas plusieurs couches dans la pièce; M. Robertson croit à une
première collaboration de Peele, Marlowe, Kyd
et Greene, à une seconde de Peele et Marlowe
seuls. Chaque bribe, presque, du texte, est
sujet à controverse.

Chambers trouve de bonne qualité le texte
de *La Mégère* (1593-94) dans l'in-folio, et pense
que le manuscrit avait servi de guide à la représentation; il donne à Shakespeare les trois
cinquièmes environ du total, l'essentiel des

deux autres, pour lesquels il ne se risque pas
à suggérer un auteur, comprenant surtout l'intrigue secondaire des prétendants de Bianca;
il ne croit pas que Shakespeare ait en rien
contribué à *Une Mégère apprivoisée*, autre
pièce sur le même sujet existant en in-quarto
dès 1594, qui est uniquement sa source. D'autres croient que le collaborateur a fait l'essentiel de la transformation. Comme il fallait s'y
attendre, M. Alexander croit que cet in-quarto
est un « mauvais » in-quarto de Shakespeare;
Chambers lui prête le flanc en disant que commercialement les deux choses ont été considérées comme identiques.

Pour *Les deux gentilshommes* (1594-95),
Chambers trouve le texte de l'in-folio assez
bon, croit la pièce authentique malgré sa fai-
blesse générale et des passages très pauvres,
ne croit ni à une composition en deux stades,
ni à un collaborateur, ni à une préparation
du texte d'après des rôles et un « plot », ce qui
est l'avis de M. Wilson; M. Robertson croit à
une comédie de Greene, dont Shakespeare a

7

seulement modifié le début, ajoutant ou trans-
formant des passages ultérieurs.

L'in-quarto original de *Peines d'amour*
(1594-95), dont le sous-titre déclare qu'il est
revu et augmenté, est mauvais sans être subreptice; Chambers pense que c'est une remise
au point d'un in-quarto subreptice qui ne
nous est pas parvenu; Wilson croit qu'il a été
véritablement réécrit, et sa reconstitution du
texte est une mosaïque. Les tentatives pour
donner des clefs aux personnages demeurent
des fantaisies; les rapports de l'intrigue avec
la vie de la cour de Navarre sont généralement
acceptées; on croit à un public raffiné plutôt
que populaire.

Le mauvais in-quarto de *Roméo et Juliette*
(1594-95) de 1597 a été remplacé par un bon
en 1599; Chambers ne voit pas de raison de
croire ni que Shakespeare a conservé du dia-
logue d'une pièce antérieure à lui, ni qu'il a
revu et augmenté la sienne, comme le vou-
draient Wilson et Pollard; les faiblesses du
mauvais texte lui paraissent suffisamment

expliquées par celles du reporter, qui a même
ajouté de son cru, et la brièveté relative par le
fait du non-accès au manuscrit. Robertson
tient la pièce pour une œuvre composite,
combinée avant Shakespeare par plusieurs
mains, révisée par lui seul la première fois,
par lui et d'autres, la seconde.

Chambers croit que le premier in-quarto
de *Richard II* (1595-96), fort bon, peut être
fondé sur le manuscrit de Shakespeare; il n'y
a aucun doute sur le fait que la pièce fut sus-
pecte à Elisabeth lors de sa reprise sous l'influence des partisans d'Essex en 1601; on sait
qu'il y eut enquête et poursuites, histoire bien
connue; les intentions de Shakespeare en
l'écrivant cinq ou six ans plus tôt ne pouvaient être que parfaitement innocentes.
M. Robertson croit à une pièce de Marlowe,
ou de Marlowe et Peele, dont l'essentiel nous
aurait été conservé par une adaptation de
Shakespeare.

Pour *Le songe d'une nuit d'été* (1595-96),
Chambers croit que l'in-quarto de 1600 a pu

être composé sur le manuscrit de l'auteur;
M. Wilson croit à l'incorporation dans l'in-
folio, de notes écrites en vue d'une reprise;
on peut hésiter, pour l'occasion de la pièce,
entre le mariage de William Derby et celui
de Thomas Berkeley; quatre autres, également
suggérés, sont plus improbables. Chambers
accepte quelques traces de revision par l'auteur même au moment de la composition.
M. Wilson croit reconnaître au moins trois
couches par revisions successives, vers 1592,
en 1594 et en 1598.

Chambers tient pour la source du *Roi Jean*
(1596-97) la vieille pièce anonyme, *Le règne
agité du roi Jean,* connue en in-quarto dès
1591;le soupçon que cette vieille pièce est un
mauvais in-quarto shakespearien ne semble
pas avoir encore été exprimé, bien que les
deux choses paraissent avoir été considérées
comme commercialement identiques; mais
M. Alexander n'est pas encore passé par
là. Pope tenait cet in-quarto pour de Shakespeare et Rowley; Chambers croit à Peele;

M. Robertson à Marlowe comme auteur principal.

Pour le *Marchand de Venise* (1596-97), Chambers croit que l'in-quarto de 1600 a pu reposer sur un manuscrit de Shakespeare ayant servi d'exemplaire de scène. M. Wilson croit à une histoire textuelle fort compliquée, dont les termes principaux seraient : utilisation du livre de la pièce d'une vieille pièce, *Le Juif,* dont on sait qu'elle existait dès 1579; manipulation de ladite par divers auteurs; revision par Shakespeare au début de 1594; addition d'un passage après l'exécution du médecin Lopez en 1594; seconde revision par Shakespeare; perte du livre de la pièce; assemblage de rôles par un scribe; addition d'indications scéniques par un scribe; interpolations diverses.

L'in-quarto et le texte de l'in-folio du premier *Henri IV* (1597-98) se présentent normalement; entre les textes de l'in-quarto et de l'in-folio du second, au contraire, il y a d'assez fortes différences qui nécessitent des expli-

cations diverses, erreurs, corrections, revisions, suppressions, additions, censure; il
n'est pas nécessaire de croire à une nouvelle
rédaction au moment où Shakespeare sub-
stitua Falstaff à Oldcastle, histoire connue;
l'identification récente de Falstaff avec le mer-
cenaire bohème Nicolas Dawtrey n'est qu'une
hypothèse. Il a pu y avoir une édition plus
ancienne de la vieille pièce, *Les fameuses vic-*
toires de Henri V, dont la première connue
est de 1598.

Chambers trouve normaux l'in-quarto et
le texte de l'in-folio de *Beaucoup de bruit pour*
rien (1598-99); M. Wilson ne diffère qu'en at-
tribuant à Shakespeare des revisions assez importantes dans l'in-quarto, et dans l'in-folio
l'utilisation d'une version plus ancienne, où
les scènes en vers auraient été plus longues,
et les conversations de Benedick et Béatrice
en vers.

Le premier in-quarto de *Henri V* (1598-99)
est mauvais, il est dû au reportage d'un acteur, peut-être aidé par les copies de certains

rôles et par un sommaire; la représentation
sur laquelle il est fondé était fortement abrégée, le nombre des rôles diminué de onze; le
texte de l'in-folio est fondé sur un manuscrit
complet. MM. Pollard et Wilson croient à
une vieille pièce, en partie revue par Shakespeare, puis abrégée pour la province, puis
imprimée d'après cette abréviation et un reportage d'acteur, celui-ci fondé sur une seconde revision de Shakespeare. M. Robertson
croit à cinq couches successives de texte et à
l'intervention d'une douzaine d'auteurs.

Le texte de *Jules César* dans l'in-folio est
bon, sauf détails; Chambers maintient l'authenticité et la date de 1599-1600, contre des
tentatives récentes pour la ramener de plusieurs années en arrière, fondées en particulier sur la raideur relative du style; il maintient même l'authenticité complète contre les
thèses de Fleay, qui croyait à une abréviation
de Shakespeare par Ben Jonson, de M. Robertson qui croit à une pièce en trois parties
par Marlowe, dont les deux dernières, après

diverses péripéties, auraient été fondues par Ben Jonson, de Wells qui croit à Marlowe refondu essentiellement par Beaumont, et d'Oliphant qui croit à un mélange de Beaumont et de Marlowe revisé par Shakespeare. Il y a naturellement bien des pièces antérieures sur le sujet.

Le texte de *Comme il vous plaira* (1599-1600) dans l'in-folio est bon; M. Wilson croit pourtant à un assemblage de rôles, et à la revision d'une version plus ancienne de 1593. Le texte de *La Nuit des Rois*, de la même date, est également bon; on a au plus soupçonné que des parties étaient la revision de rédactions antérieures, et que la célèbre chanson « O ma maîtresse! » n'est peut-être pas shakespearienne.

Pour *Hamlet* (1600-01), Chambers croit que le second in-quarto, de 1604, est le texte original, écrit une fois pour toutes par Shakespeare, très possiblement fondé sur le manuscrit de l'auteur, qui devait être peu lisible, et ne semblerait pas avoir servi d'exemplaire de

scène. Le texte de l'in-folio doit être fondé sur
une copie du même manuscrit, retouchée par
le book-keeper; les omissions du second in-
quarto proviennent d'un désir de ménager
les sentiments danois de la reine Anne; il est
incertain si celles de l'in-folio sont acciden-
telles ou représentent des coupures voulues.
Le premier in-quarto est un mauvais, très ca-
ractéristique, probablement fondé sur une représentation de la même copie qui est à la
base de l'in-folio; mais il y a pourtant des
différences peu ou pas explicables; surtout, il
y a des passages notoirement non-shakespeariens, provenant assez possiblement de la
vieille pièce sur le sujet qui a certainement
existé, et que Shakespeare aurait revisé une
première fois, au moins en partie; M. Wilson
a une théorie compliquée pour expliquer les
faits. L'*Hamlet* allemand de 1710 repose en
définitive sur une copie parente de celle sur
laquelle est fondé le premier in-quarto, et
n'apporte pas de lumière sur l'*Hamlet* pré-
shakespearien. M. Robertson croit peu au re-

portage du premier in-quarto, trouve beaucoup de la main de Kyd dans tous les deux,
et celle de Chapman au second acte. Le fait
que le nom d'Hamlet est assez commun dans le
Warwickshire n'aurait guère de signification.

Pour *Les Joyeuses Commères* (1600-01), le
texte de l'in-folio est bon, et Chambers et
M. Greg le croient shakespearien; l'in-quarto
est un mauvais, dans lequel on sent le voleur
de texte à chaque instant, et dans lequel on
trouve du non-shakespearien; dans l'un et
l'autre, une ou plusieurs revisions par Shakespeare ou par d'autres sont possibles, sinon
probables; il y a trace d'incidents relatifs à la
visite d'un petit prince allemand en Angleterre, qui ont dû à un moment ajouter des
péripéties comiques à la pièce, et deux dé-
nouements possibles. M. Wilson a une théorie
qui semble comporter huit phases à partir
d'une vieille pièce, Shakespeare intervenant
dans quelques-unes. M. Robertson semble
croire à plusieurs collaborateurs, dont Shakespeare, dans l'in-quarto, qui serait substantiel-

lement la vieille pièce; et Chapman aurait plus travaillé que Shakespeare à la revision qui a produit la version de l'in-folio.

Le bon in-quarto et l'in-folio représentent certainement le même texte pour *Troïle et Cresside* (1601-02), et leurs différences ne sont pas suffisantes pour nécessiter des suppositions révolutionnaires; Chambers ne défend pas l'authenticité de l'épilogue. Plusieurs thèses déjà anciennes reconnaissent diverses couches et diverses mains. M. Robertson croit à la refonte successive par Chapman et Shakespeare d'une vieille pièce de Dekker et Chettle.

Le texte de *Tout est bien qui finit bien* (1602-03) dans l'in-folio est décidément mauvais; des traits indiquent le manuscrit de l'auteur; Chambers reconnaît que le ton général est peu shakespearien, et que Shakespeare a dû travailler ici dans un état d'esprit anormal; M. Wilson croit à une revision, par Shakespeare et un collaborateur dont le rôle a été prépondérant, d'une pièce peut-être de Shakespeare, mais alors contenant probablement des

éléments non-shakespeariens. Robertson croit
à Chapman, revisant du Greene, et légèrement
revisé à son tour par Shakespeare.

Le texte de *Mesure pour Mesure* (1604-05)
dans l'in-folio est mauvais; M. Wilson croit
à un scribe, assemblant parfois des rôles, entre
l'original et l'imprimeur; il construit une histoire textuelle compliquée, avec pour point de
départ une vieille pièce du xvie siècle, plusieurs abréviations, expansions et refontes,
Shakespeare apparaissant pour une revision
à l'un des stades; le résultat est une mosaïque; M. Robertson croit à une refonte par
Shakespeare d'une refonte par Chapman de
la pièce ancienne.

Le texte d'*Othello* (1604-05) est bon dans
l'in-quarto et l'in-folio, qui reposent sur des
copies voisines du même original; les différences ne nécessitent pas de thèse révolution-
naire.

L'in-quarto du *Roi Lear* (1605-06) semble
provenir d'un reportage, probablement par
sténographie, mais n'est pas franchement

mauvais; les différences assez importantes entre lui et le texte de l'in-folio, fondé sur un
exemplaire de scène, sont généralement assez
explicables par l'adaptation pour la représentation. Le rapport avec la vieille pièce de *Leir*,
source évidente de Shakespeare, et seulement
imprimée pour la première fois vers le même
temps, reste obscur. Qu'en pense M. Alexander?

Le texte de l'in-folio pour *Macbeth* (1605-06)
vient d'un exemplaire de scène; il est peu
satisfaisant; il semble avoir été abrégé, en
tout cas retouché par des mains étrangères,
qui ont introduit du non-shakespearien; l'action présente des incohérences au 5e acte.
Chambers ne rejette que les passages ou scènes
où paraît Hécate; d'autres sont plus exclusifs.

Le texte d'*Antoine et Cléopâtre* (1606-07)
dans l'in-folio est assez bon, et l'authenticité
n'a pas encore été sérieusement attaquée. Le
cas de *Coriolan* (1607-08) est le même.

Le texte de *Timon* (1607-08) dans l'in-folio
fait sentir la main d'un homme de théâtre;
mais la pièce est terriblement inégale, par-

fois très bonne, parfois très mauvaise, et de
plus incohérente sur bien des points; les désintégrateurs sont, les uns pour une revision
d'une œuvre de Shakespeare par d'autres
mains, les autres pour une revision par
Shakespeare d'une œuvre d'une autre main,
ou d'autres mains; bien des noms sont mis
en avant. Chambers croit simplement que la
pièce, ou sa revision, n'a jamais été terminée
par Shakespeare, fatigué.

Le texte de l'in-folio pour *Cymbeline* (1609-
10) est assez bon; on a assez faiblement
esquissé des suppositions de revision par d'autres mains; M. Robertson croirait à Chapman
retouchant du pré-shakespearien, qui serait
peut-être en partie de Peele. Personne ne défend guère la vision du 5e acte comme de
Shakespeare.

Le texte dans l'in-folio du *Conte d'Hiver*
(1610-11) est bon, et provient plus probablement d'une copie récente, avec peut-être l'aide
d'un sommaire, que d'un assemblage de rôles.

Le texte de *La tempête* (1611-12) dans l'in-folio est également bon; certains croient à une revision en 1612-13, et à l'insertion par une autre main du masque, ou intermède, du 4e acte, pour une représentation à l'occasion d'un mariage royal ; Chambers lui-même abandonne des parties de ce masque. M. Wilson croit de plus à deux refontes, et à une ou deux abréviations d'une pièce plus ancienne de Shakespeare.

J'ai dit enfin que la collaboration de Shakespeare avec Fletcher dans *Henri VIII* (1612-13) n'est guère refusée; on ne discute que sur la part de chacun.

Phénomène général, qui pourra faire de la peine à certains, les chansons, les « exquises » chansons de Shakespeare, sont très souvent, sinon le plus souvent, suspectes; la chanson est le type le plus évident et commun de l'interpolation. Autre phénomène général : le texte est naturellement moins discuté quand nous n'avons que l'in-folio; mais alors, nous sommes probablement plus loin de Shakespeare! la chose est bien contradictoire.

Pour les pièces le plus justement soupçonnées d'être en partie shakespeariennes, et non comprises dans l'in-folio : *Périclès*, attribué à Shakespeare par l'in-quarto de 1609, n'est certainement pas d'une seule main; il y aurait probablement eu une vieille pièce; Chambers attribue une part à Shakespeare dans la revision; les rapports avec un roman du même titre et du même sujet, publié en 1608, demeurent obscurs; Chambers accepte l'attribution à Fletcher et Shakespeare des *Deux nobles parents* par l'in-quarto de 1634, et croit bien reconnaître la part de l'un et de l'autre; on ne peut que soupçonner fortement Shakespeare dans la seconde main qui se fait sentir dans l'anonyme *Edouard III* de 1596; j'ai dit qu'aucune preuve irréfutable n'a été faite en faveur de Shakespeare pour aucune partie de *Sir Thomas More*.

Pour les poèmes, Chambers ne doute de l'authenticité ni de *Vénus et Adonis*, ni de *Lucrèce*, qui furent peut-être imprimés sous la surveillance de l'auteur; dans le *Pèlerin*

Passionné, sur 21 pièces, seules 5, qu'on retrouve dans ses autres œuvres, sont de Shakespeare; il a une pièce dans *Le phénix et la tour-
terelle,* n'est pour rien dans *La plainte de
l'amant;* rien d'autre ne peut sûrement lui
être attribué. Pour les *Sonnets* enfin, le texte
ne saurait passer pour bon, et ne doit guère
avoir été revu par l'auteur; quant à l'interprétation, en présence des douzaines de systèmes
rivaux, Chambers est assez disposé à accepter
toujours l'ordre de l'in-quarto de 1609 comme
arrangé par Shakespeare en personne, bien
que non chronologique; et le détail des allusions, et les péripéties de l'intrigue, et
l'identification des personnages, demeurent,
et demeureront vraisemblablement toujours,
matières à impressions subjectives; pour
M. W. H., Chambers penche pour Pembroke
contre Southampton, sans avoir de certitude;
il ne sait pas du tout qui fut la Dame brune;
j'ai dit que le poète-rival restait dans l'obscurité. Bien des critiques reconnaissent dans
le recueil d'autres mains que celle de

Shakespeare : M. Robertson entre autres.

Je m'excuse de cette terrible énumération, concentration d'une énorme littérature; elle est indispensable si nous voulons vraiment essayer d'apercevoir un bilan sommaire de la recherche shakespearienne au début de 1932; le visage de la science est austère; je l'ai adouci tant que j'ai pu. Je crois avoir au moins fait sentir combien dominante est pour nous la préoccupation du canon; le dernier savant que l'Académie britannique vient d'appeler pour la conférence de 1931, Miss Spurgeon, n'en a pas d'autre, elle non plus. Ce qui caractérise un poète, pense-t-elle, c'est son imagination; elle croit pouvoir annoncer et prouver que dans chaque pièce, un ou deux éléments de métaphore particuliers sont constamment présents à l'esprit de Shakespeare, gouvernant toutes les images : le clair de lune et l'atmosphère de la forêt dans le *Songe d'une nuit d'été*, toutes les formes du mouvement et la vie de la campagne anglaise dans *Beaucoup de bruit pour rien*, les multiples aspects de l'acti-

vité du corps humain dans les portions shakespeariennes d'*Henri VIII;* des veines d'imagination constantes courent même à travers
l'œuvre entière, la haine du chien tenu pour
symbolique de la bassesse et de la fausseté,
les souffrances que cause un odorat délicat,
la puissance de la mort, l'intérêt pour les
occupations ménagères... Miss Spurgeon,
après six ans d'études, n'en est encore qu'au
début de ses recherches, dit-elle; mais elle ne
cache pas son espoir d'avoir enfin trouvé la
pierre de touche sûre qui permettra de séparer
le shakespearien du non-shakespearien. On
peut, hélas! déjà prévoir que, pour l'imagination comme pour le rythme, ce qui paraîtra
Shakespearien aux uns, ne le paraîtra pas
toujours aux autres... Du reste, le procédé a
déjà été beaucoup employé en bien des endroits, bien que non systématiquement.

Il est des jours, où, ne me fiant plus au
témoignage de mes impressions, et arrivé à
un scepticisme dont je ne sais plus bien s'il
est sain ou malsain, j'en arrive presque à me

demander si Shakespeare a existé — je ne veux pas dire si l'homme de Stratford a écrit les œuvres, mais si cette énorme présence que nous pensons reconnaître en tant d'endroits, écrasant ses contemporains et s'imposant aux siècles passés depuis de toute la hauteur de son génie, n'est pas une simple illusion; et peut-être se rencontre-t-il des hommes de valeur pour le croire; mais plus souvent, lorsque, quittant la société des érudits, je retourne au théâtre me réchauffer au contact de la simple foi des acteurs, fussent-ils de simples ama-teurs scolaires, je ne puis plus me soustraire à la réalité de ce grand homme, qui serait à la rigueur suffisamment prouvée par l'énorme et dévorante passion de le connaître qu'il a laissée derrière lui, dans tant d'esprits vigou-reux et subtils et dans tant de natures géné-reuses : quelle portion de lui nous est par-venue, c'est une autre question, c'est la ques-tion, c'est pour l'instant, toute la question; ce ne sera peut-être pas toujours toute la ques-tion.

Imprimé en France
TYP. FIRMIN-DIDOT & Cie. — MESNIL. — 1931.